le
Mémorial
du Québec

le Mémorial du Québec

TOME VII

1953 - 1965

Une réalisation
Les Éditions du Mémorial (Québec) Inc.
2120 est, rue Sherbrooke (Suite 605)
Montréal, (Québec) H2K 1C3

2e édition, revue et corrigée.

© Les Éditions du Mémorial (Québec) Inc.
Dépôts légaux, troisième trimestre 1979:
Bibliothèque nationale du Québec
Bibliothèque nationale du Canada
ISBN 2-89143-001-8

**Directrice de la rédaction
et de la fabrication**

Éliane Catela de Bordes

assistée de

François Robichaud

Auteur des textes

Clément Fluet

Comité de rédaction

Gilles Blanchard
Roger Champoux
Pierrette Champoux
Roger Guil
Père Ambroise Lafortune
Phil Laframboise
Père Émile Legault, csc
Me Mario du Mesnil
France Nadeau
Arthur Prévost
Père Marcel de la Sablonnière, SJ
Paul Taillefer
Henri Tranquille

Conseiller iconographique

Paul Taillefer

**Conception artistique
Phototypographie
Montage**

Doutre + Dupras Ltée

SOMMAIRE

Ont collaboré à la rédaction de cet ouvrage:

François Piazza
Pierrette Coudray
Philippe Laframboise
Jacques Bouchard
Normand Hudon
Gilles Blanchard
Pierrette Champoux
Roger Guil
Bernard Dagenais
Pierre Depatie

FAUT-IL PENDRE COFFIN?

Au début du mois de juillet 1953, Clarence Claar, citoyen américain résidant à Altoona en Pennsylvanie, se met en communication avec une amie, Mme Eugène Lindsay, pour savoir si elle a eu des nouvelles de son fils. Ce dernier, Frederick Claar, a quitté les États-Unis le 6 juin en compagnie d'Eugène et de Richard Lindsay. Les trois hommes devaient passer une dizaine de jours en Gaspésie pour y chasser l'ours. « Je ne sais pas quand ils reviendront, lui répond Mme Lindsay, mais ce retard correspond bien au tempérament d'Eugène. Ne vous inquiétez pas, il tient sans doute absolument à rapporter un trophée. »

En effet, Eugène Lindsay est bien du genre à vouloir « tuer son ours » à tout prix. Il ne jouit d'ailleurs pas d'une excellente réputation à Hollidaysburg et à Altoona, village où il habite et travaille. Prêteur à des taux usuraires, il compte beaucoup d'ennemis et ne se prive pas d'utiliser des arguments « frappants » avec ceux qui tardent à le rembourser. On sait aussi qu'il se déplace toujours avec de grosses sommes d'argent pour ne jamais rater la bonne affaire quand elle se présente. Son fils, Richard, ne lui ressemble en rien. Petit, timide, tous ceux qui l'approchent l'estiment beaucoup. Mais contraste assez frappant, Frederick Claar, son meilleur copain, est un colosse qui pèse plus de deux cents livres et mesure plus de six pieds. On imagine mal qui pourrait vouloir s'en prendre à ces trois chasseurs bien armés dont deux très costauds et bons bagarreurs.

Le père du jeune Claar continue cependant de s'inquiéter. Le 5 juillet, ne tenant plus en place, il communique avec la police provinciale de Gaspé et demande au sergent Henri Doyon d'entreprendre des recherches. On n'organisera cependant la

Photo de Eugène Lindsay, de son fils Richard et du jeune Fred Claar (à l'extrême droite), prise lors d'une autre chasse à l'ours à Gaspé en 1951.

première battue que le 10 et Clarence Claar, rongé d'inquiétude, s'est déplacé lui-même pour y participer. Il a peu d'espoir de retrouver son fils vivant, mais sait-on jamais. Parmi les chercheurs qui l'accompagnent, Wilbert Coffin, un prospecteur bien connu de la région et qui pourrait bien être le dernier à avoir vu les chasseurs. On repère rapidement la jeep des Lindsay. Elle semble abandonnée depuis longtemps. Et puis, à quelques pas de là, dans la brousse, les cadavres de deux jeunes gens. Pour Clarence Claar, c'est une vision d'horreur: les corps sont affreusement déchiquetés, ayant servi de pâture aux ours. On a peine à les identifier. Deux milles plus loin, un chercheur trouve le dernier cadavre, celui d'Eugène Lindsay: décapité, dans un état de décomposition avancée, il n'a plus apparence humaine. On connaît maintenant le sort des trois chasseurs, mais reste à savoir ce qui s'est passé.

Le procès de Coffin (deuxième à gauche) à Percé en juillet 1954.

Un an plus tard, le 19 juillet 1954, s'ouvre à Gaspé le procès de Wilbert Coffin, accusé par le ministère public d'avoir assassiné les chasseurs américains. On a rarement vu pareille foule se presser aux abords du Palais de justice et pour cause: tous les journaux du Québec ont souligné avec force détails et photos l'horreur du triple crime; Coffin, bien connu en Gaspésie, a fait les frais de nombreuses discussions et encore une fois, du moins dans la péninsule, Canadiens-français et Canadiens-anglais ne sont pas du même avis: à l'instigation du State Department, le consul américain à Québec s'est intéressé à tous les détails de l'enquête; la « Pennsylvania Federation of Sportmen's Club », puissante organisation qui regroupe près de 200 000 chasseurs a harcelé le gouvernement Duplessis pour que justice soit rapidement faite et comme on le sait, le Québec compte beaucoup sur l'industrie

François Gravel, l'avocat de Wilbert Coffin.

touristique. Duplessis a donc vite réagi. Il a confié l'enquête à Alphonse Matte, son meilleur limier et demandé au Solliciteur général, Antoine Rivard, de s'occuper personnellement du dossier. Le capitaine Matte, comme à l'habitude, a trouvé un coupable à offrir à la justice: Wilbert Coffin.

Coffin a quarante ans. Il a servi pendant quatre ans dans les Forces armées canadiennes d'outre-mer. Depuis son retour, il a exercé plus d'un métier: mineur à la « Gaspé Copper Mines », guide, prospecteur... Célibataire, il n'en vit pas moins à intervalles assez réguliers avec Marion Pétrie, une montréalaise qui porte son nom et qui lui a donné un fils. En dépit de son tempérament assez instable, les gens qui le connaissent l'aiment beaucoup: « Il est généreux, toujours prêt à donner sa chemise. C'est un homme

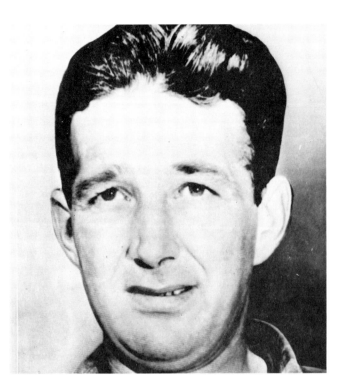

Coffin avait exprimé le désir d'épouser son amie dont il avait un fils. Le soir de l'exécution, son avocat, François Gravel, se présenta donc à la prison accompagné d'un pasteur et de Marion Pétrie. L'autorisation de procéder à la cérémonie leur fut refusée (alors qu'elle avait été accordée par le juge), par ordre de Maurice Duplessis.

serviable; il est toujours là quand on a besoin de quelqu'un. C'est un bon vivant. Il aime rire. Oh! il boit un peu trop parfois, mais qui veut bien lui lancer la première pierre. » On peut s'étonner qu'un homme décrit ainsi par ses proches soit aujourd'hui poursuivi pour meurtre, mais il y a certains faits...

Si Duplessis a voulu que son meilleur policier s'occupe de l'enquête, il a aussi insisté pour que le ministère public soit bien représenté. Me Noël Dorion, procureur principal du ministère à Québec, et Me Paul Miquelon, un de ses adjoints, se sont déplacés pour la circonstance et vont prêter main-forte à Me Georges Blanchard, le procureur local. Les deux ténors de la capitale ne jouissent pas d'une réputation surfaite: ils ont déjà fait sauter bon nombre de têtes. Me Raymond Maher, criminaliste peu connu, assisté d'un jeune avocat, François Gravel, défend Coffin.

Coffin a plaidé non coupable et demandé que son procès soit instruit devant un jury anglophone puisqu'il ne parle ni ne comprend le français. Le juge Lacroix, tenant sans doute compte du fait que la Gaspésie se compose d'une population à 80% francophone et doutant par conséquent qu'on puisse trouver douze anglophones compétents et impartiaux, ordonne qu'on assemble un jury mixte. « Il outrepasse ses droits », pensent la plupart des avocats qui sont venus assister au procès. La question mériterait certes un débat mais la décision du juge est sans appel pour l'instant.

Puis la Cour donne la parole à Mes Dorion et Miquelon qui doivent faire la preuve hors de tout doute raisonnable que Coffin a assassiné Richard Lindsay. Au Québec, on ne peut faire qu'une accusation de meurtre à la fois et le fardeau de la preuve appartient au ministère public.

On fait d'abord témoigner Jean-Marie Roussel, médecin légiste, qui signale que les corps ont été retrouvés dans un état de décomposition avancée et partiellement dévorés par les ours:

« La destruction complète des viscères, des organes, m'a empêché de déterminer directement la cause de la mort. J'ai cependant constaté avec Bernard Péclet, chimiste, qu'il y avait du plomb sur les fibres qui circonscrivaient des orifices dans les vêtements trouvés près des cadavres... Alors la seule conclusion logique que je puisse tirer de ces constatations, c'est que ces trous ont été faits par un projectile d'arme à feu, et la personne qui portait ces vêtements, a reçu au niveau du coeur et du poumon, un projectile d'arme à feu qui, dans mon opinion, a été la cause de la mort. »

Le chimiste Péclet vient confirmer ce témoignage et, dès lors, aucun doute ne subsiste: il s'agit d'un assassinat. Il ne reste qu'à trouver l'assassin. Selon Mes Dorion et Miquelon, c'est nul autre que Wilbert Coffin et ils affirment pouvoir en fournir des preuves accablantes.

Et commence le long défilé des témoins de l'accusation. Coffin a effectivement rencontré les trois chasseurs. Il ne s'en est jamais caché. Leur jeep était en panne et il a accompagné Richard Lindsay à Gaspé pour acheter une pompe à essence. Il a ramené la pièce en question et aussi rencontré à son retour deux autres Américains qu'il peut difficilement décrire. Lindsay lui a donné

Reconstitution de l'évasion de Coffin. Dans la main de l'accusé, l'anodin revolver de savon qui a tenu la police en respect.

La mère et la sœur de Coffin.

C'est à cause du livre de Jacques Hébert, «J'accuse les assassins de Coffin», que l'on a constitué la Commission Royale d'enquête chargée de rouvrir le dossier de l'affaire Coffin.

$40 pour le service rendu et il a alors quitté le groupe pour aller prospecter en disant qu'il reviendrait au cas où les chasseurs n'auraient pas réussi à réparer leur véhicule. Il est revenu et a attendu quelques heures. Ne voyant personne, il quitte les lieux et après un court passage à Gaspé, décide de se rendre à Montréal chez Marion Pétrie. Coffin a dit tout cela au sergent Henri Doyon au cours d'interrogatoires qui ont précédé le procès mais il n'a pas dit qu'il avait volé de menus objets dans la jeep des américains et c'est Marion, sa concubine, qui en fait la preuve de même que les parents des chasseurs. Il a, à tout le moins, pris de la nourriture, une valise et la fameuse pompe à essence.

Le ministère public démontre ensuite qu'entre Gaspé et Montréal, Coffin, dans les deux jours qui ont suivi son départ, a dilapidé plusieurs centaines de dollars et que, dans presque tous les cas, il a payé avec des billets de banque américains.

Et la preuve continue. Quelque temps auparavant, Coffin a emprunté une carabine à un de ses amis. Cette carabine a disparu mais par contre, un voisin jure l'avoir aperçue dans la jeep de l'accusé quelques heures avant son départ pour Montréal. Enfin, peut-on se fier à Coffin quand il affirme que Richard Lindsay lui a fait cadeau d'un couteau à usages multiples trouvé en sa possession?

Pour Mes Dorion et Miquelon, tous ces témoignages suffisent amplement à démontrer la culpabilité de Coffin. «Cherchez le voleur et vous trouverez l'assassin». La preuve du ministère public est terminée.

Comme il se doit, la Cour donne la parole à la défense. Me Maher se lève et à l'étonnement de tous dit: «Nous n'avons pas de témoins à citer». Le jeune Me Gravel qui n'est pas du tout de son avis, ronge son frein. Il sait bien que la preuve fournie suffit pour faire condamner Coffin. Toute la jurisprudence lui donne raison. Il sait donc —il est certain de l'innocence de l'accusé— que Coffin doit parler, expliquer le vol, expliquer d'où vient l'argent qu'il a dépensé, expliquer la disparition de la carabine. Me Gravel sait aussi que ces bons Gaspésiens, membres du jury, interpréteront le silence de Coffin comme un aveu. Ils n'ont que faire de cette finesse juridique qui permet à un accusé de ne pas témoigner et qui oblige le ministère public à faire la preuve autrement. Pour eux, silence, c'est culpabilité.

Et puis on passe vite aux plaidoiries, Me Dorion s'emporte.

Le 23 février 1965, Jacques Hébert est arrêté. « L'arrestation est illégale », s'exclame son avocat, Pierre Trudeau, en prenant connaissance du simple télégramme qui tient lieu de mandat d'arrêt au sergent Duchesneau.

S'écoute-t-il lorsqu'il dit: « C'est l'acte le plus odieux jamais mentionné dans l'histoire de l'humanité »? On espère que non. Le jury revient. Coffin est coupable. La Cour le condamne à être pendu jusqu'à ce que mort s'ensuive.

En réalité, c'est maintenant que commence le véritable procès de Coffin. Car pour la plupart des juristes, peu importe qu'il soit coupable ou non, il n'aurait pas dû être condamné. La preuve ne suffisait pas et on l'a mal défendu. Mais la Cour d'appel et la Cour Suprême ne peuvent tenir compte de cet argument pour recommander un nouveau procès. Seul le Ministre de la Justice peut. Hélas pour Coffin, le Ministre ne veut pas déplaire à Duplessis.

Me Gravel fait tout ce qui est possible, mais en vain. L'exécution, qui a été retardée sept fois, a lieu le 10 février 1956. Parmi les spectateurs: le capitaine Alphonse Matte, que le journaliste Jacques Hébert accusera d'avoir faussé les résultats de l'enquête dans un livre publié en 1963 et intitulé « J'accuse les assassins de Coffin ». Pour Jacques Hébert et pour bon nombre de Québécois, Coffin était innocent.

ON A TUÉ MON FRÈRE RICHARD!

Dimanche, 13 mars 1955. Au Garden de Boston, le Canadien de Montréal affronte les Bruins. C'est la soixante-septième partie de la saison. Plus que trois rencontres avant la finale. Plus que trois rencontres pour que Maurice Richard —celui que tout le monde surnomme déjà « Monsieur Hockey »— remporte le seul honneur qui manque à son palmarès: le championnat des compteurs. Avec une fiche de 38 buts et 36 assistances, le voici en effet au premier rang des pointeurs.

Pour les Québécois, c'est l'heure de la victoire, de la revanche sur l'histoire! Quel acharnement, quelle hargne au jeu il a fallu à Joseph-Henri-Maurice Richard pour gagner l'admiration de toute une nation. Souvent blessé dans ses premières années avec le Canadien, il se sentait « destiné à être toujours à l'hôpital ». Opinion que partageait l'instructeur du tricolore, Dick Irvin: « *J'ai bien peur que cette ligue soit trop dure pour lui.* »

Même Arthur Therrien, qui avait été impressionné par Richard avant même que celui-ci conduise l'équipe au championnat provincial, dès le camp d'entraînement, avouait avoir été surpris des prouesses de son jeune ailier: « Je savais qu'il jouait bien, mais de là à prétendre que je savais qu'il deviendrait le meilleur de tous les temps... »

Timide et réservé dans la vie, Richard se métamorphosait sur la glace. En quelques années, il s'impose à sa façon, « *à la Richard* », au sein de la Ligue Nationale. Quand les équipes adverses commencent à recourir aux tactiques déloyales, aux injures, aux coups sournois et aux accrochages pour freiner ses élans, il n'hésite pas à se servir de ses poings pour mener à bien sa mission.

Rocket, souriant, baptise au champagne une des coupes Stanley qui ont jalonné ses dix-huit ans de carrière (1960).

William Faulkner, prix Nobel de littérature disait de lui: « Il possède cette sorte de fatalisme étrange et fascinant des serpents. »

Les Bruins ont la réputation d'être durs et opiniâtres; ils frappent tout ce qui bouge devant eux. Depuis le début de la partie, Richard est en butte à leurs attaques.

Brutalement, Hal Laycoe, un ancien coéquipier de Richard, envoie celui-ci contre la rampe. Dans leurs cuisines, les auditeurs trépignent et maudissent le grand défenseur à lunettes. Le Québécois ne va pas encaisser les coups sans les rendre! « *Vas-y, Rocket! Remets-lui le coup! Fais-lui voir qu't'es capable, maudit!* »

À la treizième minute de jeu de la troisième période, les deux hommes se heurtent au centre de la glace. En tombant, Laycoe assène un violent coup de bâton à Richard. Comme celui-ci est en possession de la rondelle, l'arbitre se contente de lever le bras pour indiquer qu'il y a eu faute, sans interrompre le jeu. C'est alors que Richard s'aperçoit qu'il saigne abondamment. Richard continue, contourne les buts des Bruins et revient sur ses pas, presque jusqu'à la ligne bleue, avant que le jeu ne soit arrêté par un coup de sifflet. Richard se frotte les mains contre la tête, indiquant à l'arbitre qu'il a été blessé.

Il se met soudain à patiner en direction de Laycoe qui se trouve tout près, et, brandissant à deux mains son bâton au-dessus de sa tête, il en assène un coup à l'épaule et à la tête de Laycoe. Au

« Sugar », Jim Henry de Boston et Maurice Richard en 1952: Deux grands seigneurs qui se respectent et s'admirent.

Little Beaver et Mighty Schultz sous l'œil attentif de Maurice Richard devenu arbitre de lutte au Forum en 1954.

Clarence Campbell et sa fiancée affrontent calmement les huées de la foule.

moment où Laycoe est frappé, il a déjà laissé tomber son bâton et a enlevé ses gants.

Les juges de ligne empoignent les deux joueurs et le bâton de Richard lui est enlevé. Richard réussit cependant à se dégager de l'étreinte de Thompson et ramasse un bâton qui traînait sur la glace. D'une seule main, il en administre deux coups au dos de Laycoe, brisant ainsi le bâton. Le juge de ligne Thompson empoigne de nouveau Richard, mais ce dernier réussit encore à se dégager. Il saisit un autre bâton et s'élance pour frapper Laycoe une troisième fois. Laycoe plonge pour éviter de recevoir le coup dans le dos.

Le juge de ligne réussit de nouveau à saisir Richard et, cette fois, le fait tomber sur la glace. Il l'y maintient jusqu'à ce qu'un joueur des Canadiens vienne le repousser. Richard se relève. Lorsqu'il est sur ses pieds, il donne a Thompson deux violents coups de poing à la figure.

Thompson réussit finalement à maîtriser Richard et fait signe à l'entraîneur des Canadiens de venir chercher celui-ci pour le conduire à la clinique où on lui fait cinq points de suture pour refermer la blessure, du côté gauche de la tête.

L'arbitre rapporte les punitions au chronométreur et impose une punition de match à Richard pour avoir délibérément blessé Laycoe. Il impose également une punition de cinq minutes à

La saison 1952-1953 bat son plein. Trois étoiles dignes d'un ballet: Maurice Richard, Elmer Lach et Bert Olmstead.

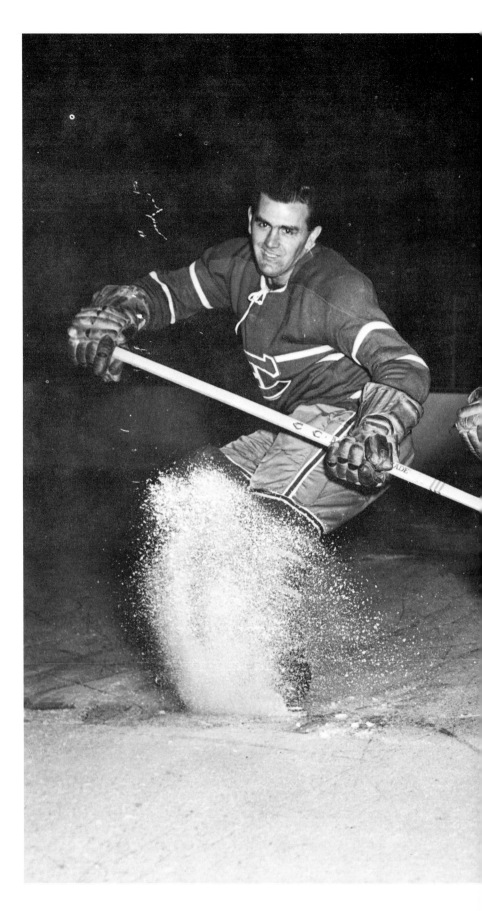

Le vétéran du Canadien, Elmer Lach, enlace amoureusement cette coupe Stanley âprement disputée: l'année 1953 est de la bonne cuvée.

Laycoe, pour avoir tenu son bâton élevé et avoir blessé un adversaire à la tête.

Alors qu'il se trouve devant le banc des punitions, l'arbitre ordonne à Laycoe de prendre sa place sur le banc. Laycoe refuse d'obéir et l'arbitre lui impose une autre punition de dix minutes pour mauvaise conduite. En entrant dans la boîte aux punitions, Laycoe lance une serviette, dont il s'était servi pour s'essuyer, en direction de l'arbitre Udvari.

C'est ainsi que la suite des événements est rapportée dans le jugement de Clarence Campbell.

Le Président de la Ligue Nationale de Hockey, qui dirigeait une réunion des gouverneurs de la Ligue Nationale, à New York, au moment de l'incident, à été saisi de l'affaire dès le lendemain.

18 mars 1955. Un Maurice Richard inhabituel, cravaté et chapeauté qui n'est plus qu'un spectateur. Bientôt l'émeute va se déclencher.

14

Clarence Campbell commence à regretter son geste de défi.

Pour mener l'enquête, il a réuni Carl Voss, arbitre en chef de la ligue Nationale, l'arbitre Frank Udvari, les juges de ligne Sammy Babcock et Cliff Thompson; Maurice Richard, Dick Irvin et Ken Reardon, des Canadiens de Montréal, Hal Laycoe et Lynn Patrick des Bruins de Boston.

Le 16 mars, toute l'Amérique lit attentivement son verdict, le plus fameux de toute l'histoire du Québec: « Il n'a pas été nié que tous les coups aient été portés par Richard, tel que cela a été rapporté par les officiels, mais on a soutenu qu'il ne savait pas ce qu'il faisait à cause du coup qu'il avait reçu à la tête.

En tenant compte, comme circonstance atténuante, du coup que Richard a reçu à la tête et en admettant que ce coup ait pu l'inciter à frapper instinctivement la personne qui l'avait blessé, il est concevable que ce geste de Richard ait été une réaction vive et automatique. Il est cependant inconcevable qu'il ait persisté à se dégager des prises de Thompson, qu'il ait persisté à ramasser d'autres bâtons et qu'il ait recommencé les hostilités par deux fois...

Je n'ai aucune hésitation à en venir à la conclusion — en me basant sur les preuves soumises — que l'attaque contre Laycoe a été délibérée et à l'encontre de toute autorité. J'en conclus également que l'arbitre a fait preuve de bon jugement et a appliqué les règlements en imposant une punition de match.

Je suis également convaincu que Richard n'a pas frappé le juge de ligne Thompson par accident ou par erreur, comme certains l'ont affirmé...

15

Notre décision peut également s'appuyer sur un incident qui s'est produit il y a moins de trois mois et au cours duquel Richard s'est comporté de façon à peu près identique...

Il est regrettable que, dans le cas présent, les officiels et ses coéquipiers n'aient pas réussi à maîtriser la situation, et il est plus regrettable encore que ses coéquipiers n'aient pas coopéré avec l'arbitre...

Conséquemment, le temps de la tolérance et de la clémence est révolu...

Il est donc décidé que Richard sera suspendu pour toutes les parties régulières aussi bien que pour toutes les joutes des éliminatoires, c'est-à-dire pour le reste de la saison en cours. »

Au Québec, c'est la rage au cœur qu'on apprend la condamnation, par son meilleur joueur interposé, de toute l'équipe du Canadien. Maurice Richard déclare que tous les joueurs étaient épuisés et justifie ainsi les coups qu'il a portés au juge de ligne Cliff Thompson: « C'était la troisième fois qu'il m'empoignait par derrière... Les officiels ne posent jamais un geste semblable. Je l'avais prévenu. Je lui avais dit que s'il devait absolument tenter de nous séparer, de le faire par devant. Je trouve qu'il n'avait pas volé ce coup de poing. »

Tous les Québécois voient ainsi s'évanouir le grand espoir d'une petite victoire pacifique et se sentent profondément solidaires de « leur champion ».

Dès midi, le jeudi 17 mars 1955, devant le Forum de Montréal, des jeunes gens brandissent des pancartes réclamant le retour au jeu de Maurice Richard et condamnant la sévérité, voire la partialité, de Campbell. Des passants s'arrêtent. On parle. On s'échauffe. Le ton monte. « Si Laycoe n'avait pas attaqué... Il avait raison, Rocket!... Y'a bien assez longtemps qu'on se laisse manger la laine sur le dos! Faut pas s'laisser faire!... L'arbitre n'est même pas intervenu quand il s'est fait taper dessus! »

Le soleil se couche, rouge sur l'horizon. Le froid se fait plus mordant. Il y a maintenant des centaines de manifestants qui s'échauffent à vilipender Campbell et à affirmer à pleins poumons leur soutien à Maurice « *Rocket* » Richard. Les premières pancartes, aigres-douces, se perdent maintenant parmi les nouvelles, plus véhémentes; la poire accolée au nom de Campbell a fait place à

Le Forum au lendemain de l'émeute.

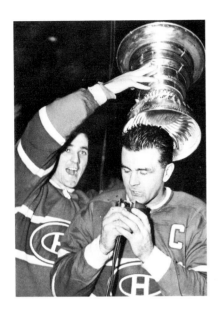

Une fois de plus la coupe Stanley couronne son favori.

une tête de porc. Certains demandent sa démission, d'autres n'hésitent pas à souhaiter sa mort, dans sa propre langue: « Drop Dead! » On n'en reste pas à des souhaits. L'instinct grégaire balaye la raison, réveille des pulsions primitives. Dans un geste symbolique, qui n'est pas sans rappeler les pratiques de la sorcellerie ou du vaudou, la foule brûle l'ennemi en effigie.

Depuis deux jours, Campbell est l'objet de diverses menaces toutes plus loufoques les unes que les autres. Une station de radio a reçu un appel téléphonique annonçant que l'édifice de la *Sun Life*, qui abritait le siège social de la Ligue Nationale, allait être dynamité. Dans un tohu-bohu incroyable, le match s'engage...

S'est-il laissé intimider? La raison ou le bon-sens l'ont-ils emporté sur la fierté? La partie est commencée depuis dix minutes, et les places de Clarence Campbell et de Phyllis King, sa secrétaire et fiancée, sont toujours inoccupées.

Les Wings ont déjà compté un but. La tension est à son comble. Soudain, de la foule surexcitée, électrisée, s'élève un tonnerre d'injures et de huées. Campbell brave la colère des spectateurs. C'est le catalyseur de toute cette rancœur qui monte et gonfle depuis deux jours. Imperturbable, il s'efforce de suivre le déroulement du match. Les Wings comptent un deuxième but, puis un troisième... Quand la sirène annonce la fin du premier engagement, ils mènent par 4 à 1.

Pendant l'entracte, Campbell prend la sage décision de ne pas bouger de sa place. Trop tard pour la sagesse, son entrée a déjà mis

Jean Béliveau légèrement blessé et Maurice Richard harassé à la cinquième partie contre les Bruins de Boston en 1958.

Cette coupe Stanley 1956, ce sont Bouchard et Blake, les vedettes de la série, qui la reçoivent.

le feu à la poudrière! Une pluie de détritus et d'insultes s'abat sur Campbell. Un jeune homme en blouson de cuir noir se dirige vers lui. Les agents de sécurité ne se méfient pas. Il tend une main amicale au président de la ligue Nationale... et lui décoche un fulgurant crochet du gauche. La fureur, la violence, sont à leur paroxysme. Les événements se bousculent. Une bombe lacrymogène explose à quelques pas de la tribune officielle.

À deux reprises, un second assaillant frappe Campbell; la police doit le transporter d'urgence à l'infirmerie du Forum. Dans un tel climat, on peut se demander par quel miracle la foule a échappé à la panique et à une bousculade meurtrière. Mouchoir sur la bouche, toussant et pleurant sous l'effet des gaz, les spectateurs envahissent le foyer du Forum.

À l'infirmerie, un policier vient d'éviter une nouvelle altercation.

19

1956. Maurice Richard vient de marquer son 99ème but au Madison Square Garden de New-York. Son jeune frère Henri se tient sur la défensive prêt à intervenir.

Quand Campbell entre, Maurice Richard s'y trouve déjà, en compagnie de sa femme Lucille. « Rocket, dit-il, je ne veux même pas que tu lui parles. Tout le monde est de ton côté. Reste ici en attendant que la place se vide. »

« J'ai eu envie de lui donner une bonne taloche », admet Richard, lui qui avait pourtant tenté les jours précédents de dissuader ses partisans de recourir à la violence.

Pendant ce temps, les joueurs de Détroit accueillent avec des cris de joie le bref communiqué signé par C.S. Campbell et F.J. Selke, qu'on vient de remettre au gérant-général, Jack Adams: « La partie a été maintenant concédée au Détroit. Permission vous est accordée de vous retirer avec votre club en tout temps à partir de ce moment. » M. Selke accepte cette décision, car le Service des Incendies vient d'ordonner la fermeture de l'édifice.

Les Red Wings se retrouvent au premier rang du circuit, deux points devant le Canadien, qui vient de perdre le match par défaut, au pointage de 1 à 4.

L'ordre d'évacuation a été donné; le Forum se vide tranquillement, mais, aussitôt dans la rue, la foule va donner libre cours à sa fureur.

Sous les projectiles, les vitrines du Forum se brisent et s'écroulent une à une; des kiosques à journaux sont jetés à terre et incendiés; des automobiles en stationnement sont retournées; d'autres, immobilisées dans la circulation, sont sérieusement endommagées.

Les vandales d'un soir prennent à parti les voitures de police et libèrent ceux de leurs compagnons qui s'y trouvent. Et les policiers, débordés, ne peuvent rien... Leur sang froid permettra cependant que « l'émeute du forum » ne dégénère pas en « tuerie du forum ».

L'explosion de violence va durer quatre heures. Vers minuit, la police repousse les manifestants vers l'est. Dans leur retraite, ceux-ci brisent des vitrines, et pillent des magasins, jusqu'à l'avenue du Parc, à quelques milles du Forum.

Les dommages se comptent par dizaines de milliers de dollars. Piteux, certains des pillards viennent spontanément restituer leur butin. Toutes leurs explications se ressemblent: « Je ne sais pas ce qui m'a pris... »

Au Forum, Maurice Richard avait refusé d'intervenir pour appeler ses « fans » au calme. « Ils vont me porter en triomphe... Ce sera encore pire! » Mais le lendemain, il cède aux pressions de ses amis. Frank Selke transforme immédiatement le vestiaire des joueurs du Canadien en studio de radio-télévision. Toutes les stations anglaises et françaises desservies par Radio-Canada diffusent son message:

« Mes chers amis, parce que je joue toujours avec ardeur et que j'ai eu du trouble à Boston, j'ai été suspendu. Je suis vraiment peiné de ne pouvoir m'aligner avec mes copains du Canadien pendant les finales. Je veux toutefois penser avant tout aux amateurs de Montréal et aux joueurs du Canadien, qui sont tous mes meilleurs amis. Je viens donc de demander aux amateurs de ne plus causer de trouble et je demande aussi à tous les partisans d'encourager le Canadien pour qu'il puisse l'emporter en fin de semaine contre les Rangers et le Detroit. Nous pouvons encore nous assurer le championnat. J'accepte ma punition et je reviendrai la saison prochaine pour aider mon club et les jeunes joueurs du Canadien à remporter la coupe Stanley. Merci. »

Prompt, hardi et chevaleresque, d'Artagnan n'a jamais été aussi fidèle à sa légende que sous les traits de Maurice Richard.

C'est au repos que la tendresse prend toute la place.

21

Maurice Richard, généreux comme toujours, vient d'acheter ce bouvillon qui dans quelques mois représentera bien des steaks pour les malades de l'hôpital Saint-Charles Borommée.

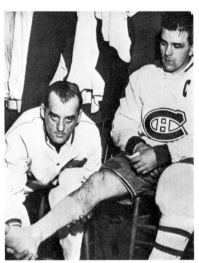

1957. Encore une rude partie contre les Maple Leafs de Toronto. Hector Dubois, entraîneur, attentif, surveille le bandage de Maurice Richard, blessé au tendon d'Achille.

Montréal se calme. Quittant la rue pour passer dans le camp des officiels, la lutte va-t-elle virer à la polémique? Le commentaire du maire, Jean Drapeau, est très dur pour Campbell : « Les événements d'hier sont regrettables. Nul plus que moi ne les déplore pour la bonne renommée de la Métropole... Il était évident bien avant la partie de hockey d'hier soir, que la décision de M. Campbell était d'une extrême impopularité... J'avais raison d'avoir confiance que la population manifesterait dans l'ordre, puisque ce n'est que sur la provocation causée par la présence de M. Clarence Campbell que les protestations ont pris une autre tournure.

Il eût donc été sage de la part de M. C. Campbell de s'abstenir de se rendre au Forum... Sa présence, en effet, pouvait être interprétée comme un véritable défi... Ce n'est que lorsque M. Campbell s'est rendu à son siège que les choses ont pris une tournure déplorable...

Que penser, de plus, de la décision de M. Campbell à l'endroit de Maurice Richard en présence de l'erreur manifeste de jugement dont il a fait preuve, en assistant hier soir à la partie en dépit d'avertissements répétés de gens sérieux?

Cependant, la provocation n'est jamais une excuse aux actes excessifs et je demande donc à la population d'être calme et de respecter la loi... »

22

La réplique de Campbell ne se fait pas attendre: «Quel triste et étrange commentaire de la part du premier magistrat de notre ville, un homme qui s'est engagé, par serment, à faire respecter la loi, un homme qui est responsable de la protection des citoyens et de leurs biens par l'intermédiaire de la force policière.

Le maire prétend-il que j'aurais dû me plier à l'intimidation de quelques voyous? En tant que citoyen et président de la Ligue, c'était mon droit et mon devoir d'assister à la partie. Si le maire ou les autorités du Forum avaient quelques appréhensions à propos d'une situation qu'ils ne pourraient contrôler, ils n'avaient qu'à me demander de ne pas assister à la partie et je me serais fait un plaisir de me rendre à leur demande. »

Drapeau décida de ne pas relever le gant, mais tous les conseillers municipaux ne firent pas preuve de la même circonspection. Un membre du Comité exécutif, M. J. René Ouimet, déclara publiquement que Campbell était responsable des dégâts causés par l'émeute. Un conseiller, M. Adéodat Crompt, consulta des

Trois ans après l'émeute, le numéro 9 reste le grand vainqueur.

Au moment des adieux, ce sont les bons souvenirs qui font le plus mal.

avocats, afin d'engager des procédures contre le président de la ligue, dont la présence au Forum avait constitué, selon lui, une provocation à l'endroit de toute la ville. Évidemment, il n'y eut jamais de poursuite judiciaire et, fort de l'appui des dirigeants de la Ligue Nationale dans cette affaire, Clarence Campbell occupait encore, vingt ans plus tard, ses fonctions de président de la ligue... et son siège au Forum!

L'émeute du Forum fit la manchette des journaux un peu partout dans le monde. À Détroit, les dirigeants des Wings annonçaient que toutes les mesures seraient prises le dimanche suivant, 20 mars, lors de la visite du Canadien pour éviter « un autre Montréal ». À Dublin, un éditorialiste faisait remarquer que la Saint Patrick, qui tombait le 17 mars cette année-là, n'avait jamais été célébrée avec autant d'éclat qu'à Montréal, une ville canadienne française.

Mais c'est André Laurendeau, éditorialiste au *Devoir*, qui analysa avec le plus de clairvoyance les motivations profondes de cette conflagration; avec un article titré « On a tué mon frère Richard ».

« Le nationalisme canadien-français paraît s'être réfugié dans le hockey. La foule qui clamait sa colère jeudi soir dernier n'était pas animée seulement par le goût du sport ou le sentiment d'une injustice commise contre son idole. C'était un peuple frustré, qui protestait contre le sort. Le sort s'appelait, jeudi, M. Campbell; mais celui-ci incarnait tous les adversaires réels ou imaginaires que ce petit peuple rencontre.

De même que Maurice Richard est devenu un héros national. Sans doute, tous les amateurs de hockey, quelle que soit leur nationalité, admirent le jeu de Richard, son courage et l'extraordinaire sûreté de ses réflexes. Parmi ceux qu'enrageait la décision de M. Campbell, il y avait certainement des anglophones. Mais pour ce petit peuple, au Canada français, Maurice Richard est une sorte de revanche (on les prend où l'on peut). Il est vraiment le premier dans son ordre, il allait le prouver encore une fois cette année. Un peu de l'adoration étonnée et farouche qui entourait Laurier se concentre sur lui; mais avec plus de familiarité, dans un sport plus simple et plus spectaculaire que la politique. C'est comme des petites gens qui n'en reviennent pas du fils qu'ils ont mis au monde et de la carrière qu'il poursuit et du bruit qu'il fait.

Or, voici surgir Campbell pour arrêter cet élan. On prive les Canadiens-français de Maurice Richard. On brise l'élan de Maurice Richard qui allait établir plus clairement sa supériorité. Et cet « *on* » parle anglais, cet « *on* » décide en vitesse contre le héros, provoque, excite. Alors il va voir. On est soudain fatigué d'avoir toujours eu des maîtres, d'avoir longtemps plié l'échine. M. Campbell va voir. On n'a pas tous les jours le mauvais sort entre les mains; on ne peut pas tous les jours tordre le cou à la malchance.

Les sentiments qui animaient la foule, jeudi soir, étaient assurément confus. Mais est-ce tellement se tromper que d'y reconnaître de vieux sentiments toujours jeunes, toujours vibrants: ceux auxquels Mercier faisait jadis appel quand il parcourait la province en criant: « *On a tué mon Frère Riel!* ».

Sans doute s'agit-il aujourd'hui de mise à mort symbolique. À peine le sang a-t-il coulé. Nul ne saurait fouetter indéfiniment la colère des gens, y sculpter une revanche politique. Et puis, il ne s'agit tout de même que de hockey.

Depuis le départ de Maurice Richard, le numéro 9 reste respectueusement accroché. Il est le symbole d'un homme et de sa grandeur.

Tout paraît destiné à retomber dans l'oubli. Mais cette brève flambée trahit ce qui dort derrière l'apparente indifférence et la longue passivité des Canadiens-français. »

On est en 1955. Il faudra plusieurs années, la vague de la révolution tranquille, et même l'élection du parti Québécois en 1976, pour que les sociologues réalisent à quel point il avait vu juste.

Ce qui fut un drame à l'époque pour Maurice Richard, n'est plus qu'un souvenir parmi son énorme collection de photographies.

DEUX SANGS

RECUEIL DE POÉSIES DE GASTON MIRON ET OLIVIER MARCHAND

LES ÉDITIONS DE L'HEXAGONE

LES POÈTES FONDENT L'HEXAGONE

Les six personnes qui sortent du 3074 rue Lacombe, en cette belle nuit de janvier 1953, dans la *sloche* et le froid, ne se doutent guère qu'elles viennent de mettre sur pied le plus formidable mouvement littéraire qu'ait jamais connu le Québec, ni même l'Amérique française; un point de rencontre et de catharsis dans ce que l'on appellera plus tard, la littérature nationale québécoise.

Pour le moment Gaston Miron et Olivier Marchand, poètes, Gilles Carle et Jean-Claude Rinfret, graphistes, Hélène Pilotte et Louis Portugais, après une de ces soirées où l'on refait le monde, ont décidé de fonder une maison d'édition qui se consacrera à la poésie. Les auteurs? On les a: Gaston Miron et Olivier Marchand. Les maquettistes? Jean-Claude Rinfret et Gilles Carle. Pour ce qui est du nerf de la guerre, on va faire appel à une souscription « fraternelle ». On dresse une liste de tous les amis, parents et connaissances, on leur envoie un bulletin de souscription pour un tirage réservé et, quand l'argent sera rentré, on pourra payer l'imprimeur... Au bout de quelques mois, deux cents personnes envoient leur obole: alors, début 54 paraît *Deux sangs* une plaquette dont les textes sont de Gaston Miron et Olivier Marchand et les illustrations de Mathilde Ganzini...

L'aventure de l'Hexagone commence...

Dans le courant de cette même année, ils lancent d'autres plaquettes toujours par le même procédé, et collaborent avec le groupe de la revue *Amérique Française* — dirigée par Andrée Maillet — où ils retrouvent Jacques Brault et Alain Horic. Ils collaborent aussi avec les Éditions Erta, et Claude Haeffely. Jean-Guy Pilon, poète mais aussi excellent organisateur, se joint à eux...

Un des poètes de l'Hexagone, Paul Chamberland, auteur de « *Demain les dieux naîtront* » et du « *Prince de Sexamour* ».

L'Hexagone de la première heure, lors du lancement de « Deux Sangs »: Suzelle Carle, Gilles Carle, Gaston Miron, Hélène Pilotte, Louis Portugais, Mathilde Ganzini et Olivier Marchand.

Et c'est le succès... L'Hexagone aurait pu s'en contenter, mais en 1956, la maison se réorganise avec un statut légal: Gaston Miron, Jean-Guy Pilon, Gilles Carle en sont les principaux animateurs.

Au cours des années, l'Hexagone engendre deux autres phénomènes importants: tout d'abord l'organisation, avec Miron et Pilon, de la première Rencontre des Poètes et des Écrivains, les 27, 28 et 29 septembre 1957. Cette manifestation deviendra une habitude, puis ensuite prendra un rayonnement international considérable: les plus grands auteurs de tous les pays — la liste en est définitivement trop longue — viendront, au cours des années y participer. C'est maintenant, dans le domaine des lettres un événement mondial...

Ensuite, en 1959, dix auteurs de l'Hexagone fondent la revue Liberté: Jean-Guy Pilon, Jacques Godbout, Fernand Ouellette, André Belleau, Jean Filiatrault, Michel Van Schendel, Paul-Marie Lapointe, Lucien Véronneau et Gilles Carle...

Il n'est pas exagéré de dire que l'influence et l'importance de la revue Liberté, au cours des années, sont devenues aussi grandes que la fameuse NRF de Gallimard dans le monde de la francophonie. Elle a aidé à faire connaître des auteurs comme Gérard Bessette, Hubert Aquin, Luc Perrier, Jacques Folch-Ribas, voire parmi les plus jeunes, Paul Chamberland, Péloquin, Nicole Brossard, etc.

Au bout d'une dizaine de numéros, le rejeton deviendra indépendant. Liberté, en plus d'être une revue de création littéraire, a été et reste, un forum de rencontres d'idées qui a contribué, et largement, à la révolution tranquille et à la naissance d'une conscience nationale.

Quant à l'Hexagone, elle fait en 1959 et 1960 sa première crise qui finalement a d'excellents résultats: Gaston Miron part en 1959 pour un séjour de dix-huit mois en France, les éditions se logent chez Paul-Marie Lapointe, tandis que Jean-Guy Pilon en assure la direction. Gilles Carle fonce dans le cinéma où Louis Portugais est déjà engagé. Dès 61, avec le retour de Gaston Miron — qui est devenu une légende vivante — l'Hexagone avec des hauts et des bas, reprend la route jusqu'à nos jours, alors qu'une équipe de jeunes prend la relève...

Il est absolument impossible de dresser le palmarès de l'Hexagone: il faudrait quasiment faire un livre sur cette aventure. Au risque d'être injustes, citons d'une manière limitative quelques-uns de ses auteurs: Alain Grandbois, Roland Giguère, Gilbert Langevin, Pierre Vadeboncoeur, Yves Préfontaine, Jacques Godbout, Jean-Guy Pilon, Alain Horic, etc.

Aucune maison n'a récolté à travers ses auteurs ou ses parutions du moins au Québec autant de prix. Citons le Prix David, de la Saint-Jean Baptiste, de la Ville de Montréal, du Canada, du Gouverneur Général et même des prix internationaux...

Aucune maison d'édition n'a causé autant d'émulation, ni d'envie.

Le grand artisan, mais non le seul, de ce succès sans précédent est évidemment Gaston Miron qui est devenu un homme légendaire tant à cause de ses écrits que pour ses luttes nationalistes. Dans le monde entier — l'auteur de ces lignes a eu le loisir de le vérifier en Italie et en Allemagne — Gaston Miron est connu «comme Barabas dans la passion» dans les milieux littéraires. Un nombre incroyable de thèses, de livres ou de maîtrises, un peu partout dans le monde, y compris aux États-Unis ont été rédigés en ayant pour thème l'apport de l'Hexagone ou de Gaston Miron...

Si depuis 1967, Québec est un cri, bien avant et même encore maintenant dans bien des milieux, Gaston Miron et l'Hexagone, ainsi que ses enfants devenus adultes, sont le Québec...

Et dire que tout ça est né, par un soir d'hiver, rue Lacombe!

En 1972, Gaston Miron s'engage dans la bagarre électorale contre Pierre Trudeau à Ville Mont-Royal, sous la bannière du Parti Rhinocéros.

LE CINÉMA
EN VEDETTE

Au printemps 1956, l'Office National du Film, fondé en 1939 et qui avait favorisé précédemment la naissance d'une cinématographie canadienne, déplace son quartier d'Ottawa à Montréal, ce qui fournira l'occasion à de nombreux cinéastes du Québec d'imposer, par le truchement du « cinéma direct », une forme de cinéma propre à l'environnement sociologique québécois.

Au travelling, Michel Brault.

Tandis que le Québec s'engage dans un profond processus de recherche de son identité, l'engouement du public pour le cinéma semble paradoxalement s'estomper. En 1952, année qui marque la création à l'écran du « *Tit-Coq* » de Gratien Gélinas, on enregistre un nombre record d'entrées dans les salles de cinéma du pays, soit 247 732 717 contre 88 millions en 1963 et 79 millions en 1969. À souligner, pour la compréhension du phénomène, que l'inauguration du service canadien de la télévision date également de 1952 et qu'à compter de ce moment, l'avenir du cinéma se jouera davantage au petit écran qu'au grand.

En 1960, en plus de Radio-Canada et de l'Office National du Film, une vingtaine d'entreprises évoluent dans le secteur de la production cinématographique. Toutes ces firmes réalisent des films de publicité, d'éducation ou de divertissement, mais le fait est que la plus grande part de leur production est destinée à la télévision. Le Québec est devenu le plus gros producteur de documentaires. Deux cent quarante-trois des trois cents documentaires montés au Canada en 1960 le sont au Québec. À cette époque, trente réalisateurs œuvrent au Canada et quinze d'entre eux sont canadiens-français. La majorité d'entre eux travaillent pour la télévision.

1945. « Le Père Chopin » de Fédor Ozep, avec Paul Guévremont (deuxième à gauche), Mimi Durand, Madeleine Ozeray, P. Durand, Jeanne Maubourg, M. Chabrier, L. Roland, Ginette Letondal et Pierre Dagenais.

La coutume veut que l'on fasse remonter à 1958 les origines d'un cinéma authentiquement québécois. Non pas qu'il ne se soit rien fait auparavant. « *Tit-Coq* », dont nous avons précédemment parlé, fut proclamé le « film de l'année » en 1952, au palmarès du Film canadien. « *Aurore, l'enfant martyre* », produit en 1952, attira 750 000 spectateurs, « *Un homme et son péché* », de Claude-Henri Grignon, amortit son coût de production ($137 000) en cinq semaines d'opération. Le film fut même présenté au Festival de Venise. Comme nous pouvons le constater, la production cinématographique ne se portait pas trop mal dans les débuts des années '50.

Pourquoi 1958? Parce que c'est cette année-là que Gilles Groulx et Michel Brault produisent pour le compte de l'ONF « *Les raquetteurs* », film-charnière puisqu'il introduit le *direct* dans notre cinéma et qu'il influencera par la suite toute une école de cinéma québécois. Fernand Dansereau dit à ce sujet: « En 1958-59... il y avait surtout un besoin de faire une espèce d'inventaire permanent

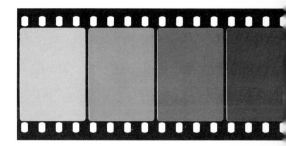

du milieu québécois. C'était une recherche sociologique, sans connaissance sociologique. » Brault ajoute: « Seul le cinéma direct a enfin amené sur les écrans du Québec de véritables Québécois dans lesquels les gens pouvaient se reconnaître. » Le cinéma direct nécessite un équipement léger, qui se déplace facilement et permet d'aller aux gens pour rapporter des témoignages fidèles. Or, en 1956, l'ingénieur canadien Charles E. Beachell met au point un magnétophone permettant de synchroniser le son et l'image. L'année suivante 95% des enregistrements sont recueillis par ce système. C'est en 1956 également que Claude Jutra, qui s'intéresse depuis un certain temps au cinéma, réalise son premier film pour l'ONF, « *Les Jeunesses Musicales* », puis « *Chantons maintenant* » et « *Pierrot des bois* ». En 56, Fernand Dansereau débute dans la carrière en réalisant le scénario d'« *Alfred J.* ».

À quelques trois cents milles de Montréal, au Saguenay, Roger Laliberté produit, avec 125 figurants de Roberval et de Port-Alfred, un long-métrage couleurs intitulé « *Le diamant bleu* ». C'est en 1956, enfin, que le maître canadien du film d'animation, Norman McLaren (Écossais d'origine, à l'emploi de l'ONF depuis 1941), crée, en collaboration avec E. Lambart, « *Rythmetic* ».

En 1957, la section animation de l'ONF monte, sur une musique de Ravi Shankar, « *Il était une chaise* », une réalisation conjointe de Norman McLaren et Claude Jutra. Jutra, également comédien, est le principal personnage du film. Claude Fournier entre à l'ONF,

Fernand Dansereau réalise « *La Communauté Juive de Montréal* », Pierre Patry est engagé comme scénariste et réalisateur. Autre fait marquant, Pierre Perreault, avocat devenu auteur de séries radiophoniques à Radio-Canada l'année précédente, commence à manifester de l'intérêt pour le cinéma. Durant l'été de '57, en collaboration avec René Bonnière, il s'engage à réaliser pour le compte de Radio-Canada, 13 courts métrages dans le cadre d'une série intitulée « *Au pays de Neuve-France* ». Le premier de ces films porte sur « La traversé de l'Île-aux-Coudres ».

C'est en 1958 que l'ONF ayant entrepris de fixer sur pellicule un ensemble d'événements dans le cadre de la série « *Panoramique* » et de recueillir des documents sur les grands moments de l'évolution du Canada français, tourne successivement « *Les brûlés* », de Bernard Devlin —traitant de la colonisation de l'Abitibi—, « *Il était une guerre* », de Louis Portugais —sur la crise de la conscription—, « *Les mains nettes* », de Jutra, sur les collets blancs,

1950. « Les Lumières de ma ville », comédie sentimentale de Jean-Yves Bigras, avec Albert Duquesne, Paul Berval et Monique Leyrac.

1953. « Cœur de Maman », un mélodrame de René Delacroix, d'après la pièce d'Henry Deyglun.

« *Le maître du Pérou* », « *90 jours* » de Louis Portugais et « *Germaine Guèvremont, romancière* ». En dehors de l'ONF, un jeune homme de 20 ans que le cinéma intéresse réalise son premier film pour le compte d'une compagnie d'assurances. Son nom: Jean-Claude Labrecque. Son film: « *Les Prévoyants du Canada* ». Norman McLaren, en co-réalisation avec E. Lambart, conçoit « *Le Merle* ».

1959. Michel Brault est invité à participer au Séminaire Robert Flaherty, à U.C.L.A., en Californie. Il y apporte « *Les raquetteurs* », qui est très favorablement accueilli.

L'ONF ayant décidé de se donner des cadres francophones, ce sont Fernand Dansereau, Louis Portugais, Bernard Devlin et Léonard Forest qui sont choisis. Quelques personnes fondent à Montréal la Société Jeune Cinéma, une compagnie de production qui réalise « *Les désœuvrés* », un film de 75 minutes de René Bail, tandis que Guy Borremans tourne indépendamment « *La femme-image* ». Cette même année, Claude Jutra tourne « *Félix Leclerc, troubadour* », ainsi que « *Fred Barry, comédien* ». Claude Fournier réalise de son côté « *Télesphore Légaré, garde-pêche* ». Gilles Groulx entreprend le tournage de « *Normétal* » et Pierre Patry se cloître un certain temps pour produire « *Les petites sœurs* ». Non satisfait de cela, Patry entreprend « *Le chanoine Lionel Groulx, historien* » ainsi que « *Cyrias Ouellet, homme de science* ». Georges Dufaux, né à Lille, en France, et qui était entré à l'ONF en 1956 à titre de caméraman, a déjà fait un bout de chemin puisqu'il co-réalise en 1959 « *Bientôt Noël* ».

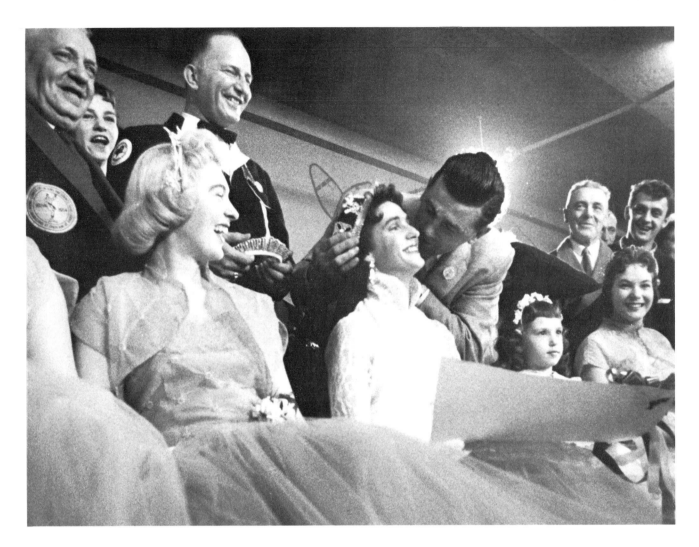

1958. Michel Brault et Gilles Groulx tournent « Les Raquetteurs » à Sherbrooke. Choqué par ce film-vérité, Grant McClean, directeur de l'ONF, voulait qu'on le détruise.

1960. Année de constat et année de changement. Au Québec, Jean Lesage prend le pouvoir avec son *équipe du tonnerre* dont fait partie René Levesque. Il y a du ménage à faire. À Montréal, sur soixante-quatre cinémas, six seulement sont français à 100%, six autres peuvent prétendre être français à 50%. La distribution cinématographique canadienne est pratiquement au point mort. Cette année-là, cinq cent cinquante-huit films sont distribués au pays. Deux cent trente-et-un sont américains, cent dix-huit viennent de France, soixante-sept de Grande-Bretagne, cinquante-quatre d'Italie. Les compagnies américaines monopolisent 80% des écrans.

Les cinéastes québécois poursuivent néanmoins leur tâche. Claude Jutra réalise en France « *Anna la bonne* » d'après Jean Cocteau. Le producteur du film est François Truffaut. Puis Jutra va rejoindre Jean Rouch au Niger. Pierre Perreault termine à l'Île-aux-Coudres ses treize films pour la série « *Au pays de Neuve-France* ». Au Saguenay, Roger Laliberté, avec la compagnie Saguenay Production, réalise deux autres films.

Dansereau tourne « *Les administrateurs* ». Louis Portugais monte « *Saint-Denys Garneau* ». Gilles Groulx revient avec « *La France sur un caillou* » en co-réalisation avec Claude Fournier. Pierre Patry présente « *Collège contemporain* ». Bernard Devlin réalise « *L'héritage* ». Fournier travaille en outre à « *Alfred Desrochers, poète* ». Dufaux à « *Congrès* » avec Jean et Fernand Dansereau. Norman McLaren œuvre à « *Lignes verticales* » et à son « *Discours de bienvenue* ». L'ONF entreprend sa série « *Temps présent* » pour la télévision.

1961. Le 19 février, J.A. De Sève inaugure à Montréal Télé-Métropole. Gilles Carles collabore avec Patrick Straham, Jean Billard et Fernand Benoit à une nouvelle revue de cinéma publiée par le Centre d'art de l'Élysée, « *L'Écran* ». Puis Carle réalise cette année-là son premier film pour l'ONF en collaboration avec Louis Portugais, « *Dimanche d'Amérique* ».

Michel Brault signe, en France, les images de « *Chronique d'un été* », film-manifeste de Jean Rouch et Edgar Morin. Pierre Patry réalise « *Croisements et profits* » ainsi que « *Loisirs* », Jutra son « *Niger* » avec Jean Rouch et « *La lutte* ». Gilles Groulx s'illustre une fois de plus avec « *Golden Gloves* ».

1962. C'est le dépôt du Rapport Régis recommandant l'abolition de la censure et l'adoption d'une classification par groupes d'âges. Il sera adopté cinq ans plus tard. « *Ronde Carrée* », de René Jodoin, « *La Patinoire* », de Gilles Carle, « *Printemps* », de René Bail, « *Jour*

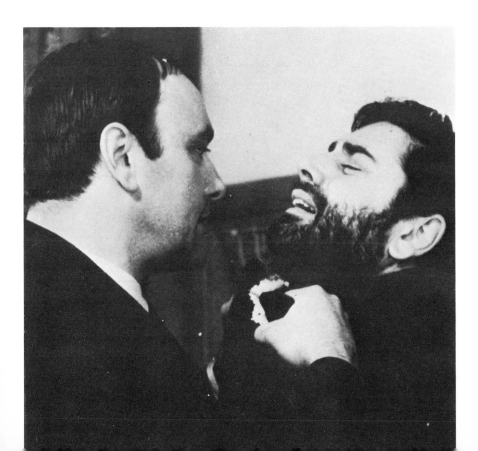

1965. « Caïn », de Pierre Patry, avec Réal Giguère, Ginette Letondal et Yves Létourneau.

1969. Geneviève Bujold est en nomination pour l'Oscar de la meilleure comédienne à Hollywood, dans son interprétation de Anne Boleyn, dans « Anne of the Thousand Days ».

après jour », de Clément Perron, sont présentés au 3e Festival international du Film de Montréal. Jutra travaille à « *Québec USA ou l'invasion pacifique* », Gilles Groulx à « *Voir Miami* », Jacques Godbout et Georges Dufaux à « *Pour quelques arpents de neige* », Claude Fournier produit aux USA « *Mid western floods* », Denis Héroux, Denys Arcand et Stéphane Venne montent « *Seul ou avec d'autres* », une production de l'Association générale des étudiants

1970. Monique Mercure et Louise Turcot dans la comédie égrillarde de Claude Fournier, « Deux Femmes en Or ».

1971. « Les Chats Bottés », de Claude Fournier, avec Louise Turcot (à droite), Donald Pilon et Jacques Famery.

de l'Université de Montréal (AGÉUM); Arthur Lamothe prépare « *Les bûcherons de la Manouane* », Pierre Patry met la dernière main à son « *Louis Hippolyte Lafontaine* », Carle va de l'avant avec « *Un air de famille* » et Hubert Aquin, l'écrivain se fait la main avec « *À Saint-Henri, le 5 septembre* ». La Censure de l'Office crée des complications à Groulx pour son « *Voir Miami* » et à Lamothe avec « *Les bûcherons de la Manouane* ». Une maison indépendante, Québec Party, produit, par l'intermédiaire de Guy Borremans, « *L'homme vite* ». 1962 est une année de grands crus!

1972. Marcel Sabourin, Denise Filiatrault et Carole Laure, dans « La Mort d'un Bûcheron » de Gilles Carle.

42

1963. « *À tout prendre* », de Claude Jutra est enfin complété. Le film mérite à son auteur le Grand Prix du long métrage au Festival international de Montréal. C'est également dans le cadre de ce Festival que naît le premier Festival du Cinéma canadien. Outre Jutra, le Festival décerne un prix spécial du jury à Pierre Perrault et Michel Brault, prix attribué à « *Pour la suite du monde* » produit cette année-là à l'ONF. Lamothe reçoit un Grand prix pour son court métrage « *Les bûcherons de la Manouane* ». Crawley Films Ltd. produit en 1963 « *Amanita Pestilens* », de René Bonnière qui ne paraîtra à l'écran que dix ans plus tard. Claude Fournier, de retour à Montréal, fonde les « Films Claude Fournier ». Cette firme réalisera plusieurs films pour Radio-Canada dans le cadre des séries télévisées: « *20 ans express* » et « *Cent millions de jeunes* ». « *Seul ou avec d'autres* » représente le Canada à Cannes à la Semaine de la critique. Une autre compagnie cinématographique voit le jour. Fondée par Pierre Patry, *Coopératio* produit cette année-là « *Trou-*

1971. « *Mon Oncle Antoine* » de Claude Jutra, avec Jean Duceppe et Jacques Gagnon.

43

1971. «La vraie nature de
Bernadette», de Gilles Carle,
avec Micheline Lanctôt.

1973. Manda Parent, Jean-Claude Lord, Anne-Marie Provencher, Jean Duceppe et Jeanine Fluet dans le drame social de J.-C. Lord, « Bingo ! »

ble-fête ». Patry tourne de plus pour l'ONF, en 1963, « *Il y eut un soir, il y eut un matin* » et travaille avec Jutra au film « *Les enfants du silence* ». Jutra, pour qui c'est décidément une année faste, trouve le moyen de réaliser encore « *Petit discours de la méthode* ». Carle travaille à « *Solange dans nos campagnes* », Perron et Dufaux à « *Caroline* » et Jacques Godbout réalise son « *Fabienne sans son Jules* ». De Carle on reçoit de surcroît en 1963 « *Natation* », « *Patte mouillée* », « *Un air de famille* ». Carrière nous revient avec « *Rencontre à Mitzic* », co-réalisé par Dufaux et Arthur Lamothe et « *De Montréal à Manicouagan* ».

1963 est également marqué par la signature d'un accord sur les relations entre la France et le Canada en matière de cinéma et le film « *À tout prendre* » remporte deux prix à la compétition internationale du film expérimental de Knokke-le-Zoute, en Belgique.

L'année 1964, bien que chargée, ne fut pas aussi bonne que les deux précédentes. Hormis « *Le chat dans le sac* », produit cette année-là par Gilles Groulx (c'est son premier long métrage) et le fait que « *La terre à boire* », réalisé par Jean-Paul Bernier soit sorti en octobre et ait eu des démêlés avec la Censure lors de la première, il y a peu de réalisations à signaler. On peut relever encore « *Percé on the Rocks* » de Gilles Carles, « *L'Homoman* » de Jean-Pierre Lefebvre, « *Villeneuve, peintre-barbier* », de Carrière. Le tournage du « *Festin des morts* », produit par l'ONF, à Mascouche, se caractérise surtout par son coût $200,000, comparativement au « *Chat dans le sac* » de Groulx qui n'avait coûté cette année-là que $30,000. Denis Héroux réalise « *Jusqu'au cou* » pour l'AGEUM. « *Pour la suite du monde* » représente le Canada à Cannes dans la section Grand Festival; Groulx remporte le Grand Prix du Cinéma canadien de 1964 (long métrage) avec « *Le chat dans le sac* »; Le Grand Prix du Palmarès du Film canadien de Toronto va à Claude Jutra pour son « *À tout prendre* ». L'Office du Film du Québec décide de s'embarquer dans la production d'un long métrage. On choisit une adaptation du *Misanthrope* de Molière. On expérimente en 64 l'efficacité du cinéma comme instrument d'animation sociale (le BAEQ dans l'est du Québec) et Fournier tourne pour le compte de la Fédération libérale du Québec un film sur la jeunesse que Jean Lesage ne souhaitera pas voir présenté.

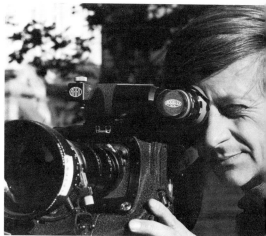

À la caméra, Jacques Godbout.

1965 — Le cinéma direct québécois commence à faire parler de lui

1973. Luce Guilbeault, Jacques Godin et Denis Drouin dans « OK La Liberté », de Marcel Carrière.

dans le monde francophone. Au mois d'avril, la revue française « *Image et son* » traite du cinéma direct nord-américain. Quelques mois plus tard, en 1966, la prestigieuse revue française les *Cahiers du Cinéma* croit nécessaire de faire le point, dans un dossier sur le cinéma québécois désigné comme étant *canadien*.

« *Le chat dans le sac* », de Groulx représente le Canada à la Semaine de la Critique de Cannes. « *La vie heureuse de Léopold Z* », de Gilles Carle, remporte le Grand Prix du long métrage au Palmarès du Troisième Festival du Cinéma canadien à Montréal. Le comité de présélection refuse « *Le Révolutionnaire* », de Jean-Pierre Lefebvre, un indépendant. Deux autres productions indépendantes apparaissent sur le marché: « *Caïn* », de Pierre Patry, sur un scénario de Réal Giguère et « *Carnaval en chute libre* », de Guy Bouchard, produit par Ciné-Sag. La première de « *La corde au cou* », de Patry, une production Coopératio également, a lieu le 5 novembre au Saint-Denis. Coopératio, qui ne chôme décidément pas, revient à la charge avec « *Poussière sur la ville* », d'Arthur Lamothe. Denys Arcand réalise « *Montréal un jour d'été* », quitte l'ONF et passe à l'entreprise privée; Jacques Godbout « *Huit témoins* »; Claude Fournier « *Deux femmes* »; Denis Héroux réalise « *Pas de vacances*

1963. « Pour la suite du Monde « de Pierre Perrault, Michel Brault et Marcel Carrière, avec les pêcheurs de l'Île-aux-Coudres, est primé six fois (Cannes, Toronto, Melbourne ...)

Au cadrage, Claude Jutra.

pour les idoles », un film pour adolescents; Arthur Lamothe « *La neige a fondu sur la Manicouagan* »; Dufaux « *Les départs néces- saires* »; Jean-Claude Labrecque porte à l'écran, en co-réalisation avec Jean Dansereau, « *La guerre des pianos* ». Jean-Claude Lord, critique de cinéma, qui fut l'un des fondateurs de la société *Jeune Cinéma*, en 1959, embarque de plein-pied dans l'aventure du cinéma en réalisant « *Delivrez-nous du mal* », une adaptation d'un roman de Claude Jasmin, via Coopératio.

Dix ans viennent de s'écouler. Nous venons de vivre la décade prodigieuse du cinéma authentiquement québécois au cours de laquelle les principaux concepteurs de la cinématographie québé- coise sont nés. De grandes expériences ont été tentées, les rêves les plus fous ont été réalisés.

Tous les obstacles ne sont pas vaincus pour autant.

Le cinéma québécois s'est trouvé des racines, des techniciens, des théoriciens, mais il n'est pas parvenu à toucher le grand public et à s'imposer hors de ses frontières.

La création de la Société de développement de l'Industrie Cinématographique, en 1968-69, va engager le cinéma québécois dans une veine de création populaire qui se révèle bientôt être un cul-de-sac. C'est en quittant les sentiers connus du direct et en s'engageant dans une périlleuse épopée de créations fictives que le cinéma québécois va se déséquilibrer.

1974. Claude Gauthier, dans « Les Ordres » *de Michel Brault.*

Sauf quelques exceptions — « *Kamouraska* », « *La vraie nature de Bernadette* », « *La tête de Normande St-Onge* », « *Réjeanne Padovani* », « *Les ordres* », « *Mon oncle Antoine* », « *Le temps d'une chasse* », et plus tard « *J.A. Martin Photographe* » — la nouvelle orientation du cinéma québécois ne se révèle pas des plus heureuses. Est-ce pour cette raison que certains cinéastes quelques années plus tard reviennent au direct avec des films de la trempe de « *Le mépris n'aura qu'un temps* », « *On est au coton* », « *L'Acadie, l'Acadie* », et que Dufaux et Dion reprennent la caméra dans les années 76 pour montrer l'homme aux prises avec la vieillesse et la mort? Est-ce pour ces raisons que nous verront plus tard à l'écran « *Les servantes du bon Dieu* » et « *Les vrais perdants* »? Sans doute. Les années prodigieuses de la naissance du cinéma québécois ont creusé des sillons si profonds que le vent de la rentabilité n'est pas parvenu à les effacer.

L'APOTHÉOSE DE MAURICE DUPLESSIS

Duplessis... Duplessis... Il a gagné ses épaulettes maluron malurette! Ça crie, ça chante. La rue Bonaventure est «pactée» ou plutôt «cordée», comme on dit ici, à Trois-Rivières.

La foule se presse devant une petite maison de deux étages dont le rez-de-chaussée est illuminé. Dans ce beau soir d'été c'est la fête: une fête presque rituelle puisqu'elle revient au moins tous les quatre ans. Quelques policiers bonasses, avec des sourires complices, contiennent hors de l'entrée, ceux dont l'enthousiasme devient un peu trop excessif, mais sans trop forcer; on est en famille! Dans l'air flotte le parfum des fêtes populaires: un mélange d'odeurs de bière, de sueur, de tabac et d'arbres qui s'exhalent après la chaleur du jour.

Un visage inattendu du Premier Ministre. Et un faux air de Churchill...

Enfin la porte s'ouvre. Le voici! «Ah!» pousse la foule, avant de se remettre à crier de plus belle. Le pas un peu pesant, le déhanchement accentué par la taille un peu rondouillarde, enfermé dans un costume croisé gris, la cravate bien alignée, la main droite entre le salut et la bénédiction, la figure un peu amaigrie qui accentue encore le fameux nez pentu et les grands yeux tapissés au fond des poches, Maurice Duplessis s'avance vers les micros tendus.

Ce soir, il est le roi. C'est de son ton fameux, à la fois pompeux, rocailleux et monocorde qu'il déclare:

«Le gouvernement que j'ai l'honneur de présider est celui de toute la province et non pas d'une catégorie de citoyens. Nos adversaires font partie de la province et nous les représentons également...»

Une campagne électorale qui est presque un pèlerinage.

Nous sommes le 20 juin 1956.

Depuis 1944, gagner ses élections est devenu une habitude, presque une routine, pour Maurice Duplessis et l'Union Nationale. Encore que cette dernière se fonde de plus en plus dans l'image du chef. Le triomphe du 20 juin est plus celui de Duplessis que de son parti.

À bien des égards, ce succès est exemplaire: il est le cas-type à cause des thèmes répétitifs, mais aussi du style de campagne du chef, qui peut faire comprendre le long règne de Duplessis.

Pourtant l'affaire avait mal commencé.

Plus autocrate que jamais, Maurice Duplessis a accumulé les mauvaises causes. Son refus de rendre les trésors polonais qu'il a en garde depuis le début de la guerre; son obstination dans l'affaire Roncarelli où, pour affirmer le bon plaisir du prince, il s'obstine dans une cause perdue d'avance devant la Cour Suprême; sa prochaine comparution devant la même cour, à propos de l'affaire Switzman, dont le résultat ne fait aucun doute (l'odieuse loi du Cadenas va être déclarée « ultra-virès »), tout cela commence à jouer contre lui.

« Le vieux commence à en perdre » murmurent quelques fidèles atteints de tiédeur.

C'est aussi l'avis de l'opposition, c'est-à-dire, en cette année 1956, tout ce qui n'est pas unioniste dans la province de Québec; on parle constamment de régime pourri, de patronage, d'usure du pouvoir après douze ans, de dictature, etc.

Bref, lorsqu'à l'issue du Conseil des Ministres — toujours un mercredi à cause de Saint-Joseph! —, le 25 avril 1956, Maurice Duplessis annonce les élections provinciales pour le 20 juin — un autre mercredi —, c'est presque l'Union sacrée sur l'air de « Duplessis c'est assez! »

On voit des alliances pour le moins bizarres: créditistes, coiffés de bérets blancs, sous la bannière de l'Union des Électeurs de Louis Evans, brandissant le livre du Major Douglas d'une main et le chapelet de l'autre, plus conservateurs encore que Duplessis se retrouvant sur la même estrade que les libéraux provinciaux, plutôt réformistes, dirigés par l'érudit Georges-Émile Lapalme. Dans certains comtés, on choisit même un candidat commun: c'est ainsi que dans Abitibi-Est, contre le ministre Miquelon, on nomme Réal Caouette, un orateur qui soulève les foules et qui vient faire un tour sur la scène provinciale.

En 1944, à Trois-Rivières, on vote en bloc pour Duplessis.

Attentif, sceptique, craintif, soumis ou enthousiaste, le Québec est partagé.

À tout hasard, le cardinal Léger demande à un abbé d'étudier la doctrine du Crédit Social et de lui faire rapport.

Ailleurs, même phénomène: c'est ainsi que l'on soutient René Hamel candidat indépendant ou Pierre Laporte, indépendant itou, grand pourfendeur du régime dans les colonnes du Devoir.

Enfin les libéraux de M. St-Laurent viennent d'Ottawa donner un coup de main à leurs petits frères provinciaux. Pas officiellement, bien sûr! Quand on amène Jean-Paul St-Laurent, député, mais fils de papa Premier Ministre, Hugues Lapointe, député et ministre de seconde génération (c'est la dynastie Ernest Lapointe), Jean Lesage qui passe pour être le lieutenant québécois de M. St-Laurent, le doute n'est plus permis. Sus à Duplessis!

À ses troupes régulières s'ajoutent les supplétifs: naturellement le groupe de Cité Libre, sous la houlette de Pierre Elliott Trudeau, qui publie, « La grève de l'Amiante » pour rappeler les événements tragiques d'Asbestos de 1949; la ligue des Droits de l'Homme qui proteste contre le viol des libertés, et même la ligue d'Action Civique, indirectement, sous l'égide de Me Jean Drapeau qui lorgne vers la mairie perdue, grâce au soutien de Duplessis à Sarto Fournier!

Pour ce qui est du ton de la campagne, en ce temps-là, on ne fait pas de manières: c'est le style «visez la tête et frappez fort». Un

Ce n'est pas toujours celui qui rame qui mène la barque.

échantillon? René Hamel écrit dans le Devoir « Notre province est comparable à une caverne de voleurs où les taxes n'ont pour but que d'engraisser les rats du parti de l'Union Nationale ».

Pour être franc, la plupart des faits invoqués sont vrais et connus de tout le monde. Le ton est donc: « Duplessis c'est fini ».

Que va faire Maurice Duplessis? Comme d'habitude! La campagne se fait avec la machine et le « cheuf ».

La machine électorale — bien rodée par Jos. Bégin, et bien nourrie par Gérald Martineau qui tient les clefs de la caisse —, fait dans la propagande classique à profusion: panneaux, annonces à la radio et voitures-radios qui vont dans les rangs vanter l'Union Nationale.

Elle « aide » aussi l'électeur à faire son choix. Ce qui peut se traduire de différentes manières: paiement d'un compte d'hôpital à un père nécessiteux qui a quelques votants dans la famille; avance sur un achat qui ne sera complété (ou plutôt oublié avec l'avance!) qu'après l'élection — si on vote du bon bord — pressions discrètes sur quelques électeurs influents pour leur faire comprendre où se trouve leur intérêt (un permis d'alcool ou un contrat de voirie peuvent devenir si volatiles!) quand ce n'est pas un don pur et simple à l'électeur désargenté. Il y a aussi l'organisation de la troupe pour les assemblées (pour les acclamations ou la cabale!) et enfin ces éléments folkloriques du jour du scrutin: «honnêtes» travailleurs d'élections musclés, pour faire «sortir le vote», et «télégraphistes» pour pallier certaines carences de celui-ci...

La routine, quoi...

Pour être franc, l'Union Nationale n'a rien inventé: ce sont des moeurs électorales quasi-séculaires au Québec. Disons qu'elle les a raffinées. Du reste, au niveau des intentions, il n'y a pas tellement de différences avec celles des adversaires. La seule, mais qui est de taille! c'est qu'elle est au pouvoir et qu'elle a les moyens!

Pour ce qui est du programme et de la campagne, tout se résume dans le chef: Maurice Duplessis. Avec trois leitmotive: la générosité de Duplessis qui «donne» des subventions et «consacre» des budgets, les réalisations passées qui sont garantes de l'avenir et la défense du Québec contre l'ennemi...

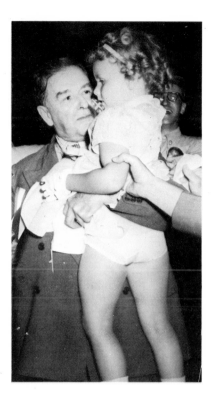

Duplessis avait une tendresse particulière pour les enfants.

Pour ce qui est des subventions, on y va franchement: la manne tombe «cash»: tel hôpital reçoit $50,000; Mgr Parent, recteur de l'Université Laval, une avance de $900,000 sur les subventions à venir, etc. Sans oublier l'asphaltage d'une cour de presbytère ou d'un bout de route (qui ne se terminera que si le comté vote bien!). Le tout est que cela se sache: Maurice Duplessis l'annonce petit à petit, au cours des réunions, et prière de dire merci!

Dans ces conditions, la hiérarchie catholique décide de rester neutre. Mgr Léger, après avis, pense que la doctrine du Crédit Social a bien des aspects discutables...

De nouveau le ciel est bleu et l'enfer est rouge...

Pour ce qui est des thèmes de discours, lors des inaugurations ou des réunions qui se déroulent chaque jour, ils sont presque rituels.

Les finances publiques vont bien: on a encore enregistré un surplus; le gouvernement n'emprunte pas! L'Union Nationale a réduit la dette qu'un gouvernement libéral calamiteux (il y a

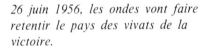

26 juin 1956, les ondes vont faire retentir le pays des vivats de la victoire.

quatre ans, huit ans, douze ans, etc.) a laissée. C'est l'Union Nationale qui a amené l'électricité dans les campagnes, le Crédit Agricole, l'impôt provincial qui nous permet de ne plus dépendre d'Ottawa. Enfin, grâce à l'Union Nationale, les compagnies étrangères viennent s'installer chez nous...

Les libéraux lui reprochent d'aliéner les richesses naturelles? « Les compagnies étrangères, qu'elles soient américaines ou anglaises, seront toujours les bienvenues chez nous quand elles viennent donner du travail à nos gens. » On lui reproche son attitude vis-à-vis Roncarelli et les témoins de Jéhovah? « Je suis le défenseur de la religion catholique qui est la religion des gens de cette province. » L'affaire de la loi du Cadenas? Comment les libéraux peuvent-ils soutenir les communistes qui veulent détruire notre pays? Lui, Duplessis, combattra toujours ceux qui veulent utiliser la subversion pour ruiner notre beau pays dans l'anarchie! C'est d'ailleurs la raison pour laquelle il ne rendra pas les trésors polonais que nous avons en dépôt « à un gouvernement communiste qui a pris le pouvoir par la force »...

La vérité, c'est que les libéraux sont des ennemis publics. Ils s'allieraient avec n'importe qui pour satisfaire leur appétit du pouvoir! Tout comme les « poètes » « les joueurs de piano » qui les soutiennent (voir Cité Libre!). Ils mettraient vite la Province à terre. D'ailleurs, l'appui que leur donnent les libéraux d'Ottawa

Au « Nouvelliste » de Trois-Rivières, les élections de 1948 mettent la rédaction en transes.

L'ange gardien de Maurice Duplessis: Aurrea Cloutier.

est significatif: ils menacent l'autonomie provinciale qu'ils vendraient vite à Ottawa. Lui, Duplessis qui a donné un drapeau à la Province, signe de son autonomie, il se battra jusqu'à son dernier souffle pour l'autonomie du Québec...

Fermez le ban!

Si l'on excepte les thèmes de circonstances (Roncarelli, le cadenas) les autres sont identiques depuis 1944!

Le résultat aussi: tous ses ministres sont réélus, l'opposition écrasée; soixante-douze députés unionistes contre vingt libéraux et un indépendant.

Si le vieux «commençait à en perdre» il a fini par en gagner...

Mais qui était donc Maurice Duplessis?

Saura-t-on jamais la vraie nature de Duplessis? Tant les témoignages que l'on a à son sujet sont passionnés et contradictoires. C'est tout juste si on peut essayer d'en dégager quelques traits.

L'homme qui a repris le pouvoir en 1944 a une volonté de fer: il a renoncé à l'alcool pour lequel il avait un faible certain, et aux femmes qu'il voyait dans la trinité classique « mère-putain-épouse ». Il est venu en politique comme on entre en religion.

Même chose vis-à-vis de sa santé: elle n'est pas fameuse. Il a été opéré, puis le diabète s'est installé petit à petit, ajouté au surmenage du sédentaire. Car il ne prend jamais, ou presque, de vacances: au plus, huit jours pour aller voir les séries mondiales de baseball!

Il est sportif comme on l'est au Québec: il s'intéresse aux sports violents tels la boxe ou le hockey qu'il écoute à la radio quelquefois. Il lit surtout la section sportive des journaux: c'est lui qui a imposé cette tendance à Montréal-Matin que l'Union Nationale avait acheté.

Sa drogue, c'est la politique et le travail qui en découle. Encore qu'il faille comprendre ce qu'il entend par là. Il n'est pas homme à s'absorber dans quelque grand dessein ou quelque vaste projet: il y a des gens pour ça! Le gros de son occupation consiste plutôt à examiner une foule de petits détails d'exécution: la moindre nomination à un petit poste prend autant de temps qu'un projet de loi. Sa mémoire prodigieuse — il en a autant pour le sport où il compile les statistiques — lui sert dans ses contacts avec tous ceux, mêmes les plus humbles, qu'il rencontre. L'interlocuteur a le sentiment d'être un être spécial qui a frappé l'esprit du grand homme. Au fond, il fait un travail de député bien plus qu'un travail de Premier Ministre. Mais cela répond à sa conception du chef qui doit s'occuper de tout. Il faut qu'il mette son nez partout « Et j'ai le nez long » aime-t-il à répéter...

Le « chef » ne néglige pas l'image rassurante du cercle familial.

Duplessis et les ministres de son nouveau cabinet, le 12 septembre 1936. À g., Antonion Elie, F. J. Leduc, Dr J. H. Paquette, Bona Dussault, Henry L. Auger, Oscar Drouin. À dr., Martin B. Fisher, Onesime Gagnon, John S. Bourque, William Tremblay, Joseph Bilodeau, T. J. Coonan et Gilbert Layton.

Chef ou père? Duplessis est persuadé que sa mission est de faire le bonheur des Québécois, au besoin malgré eux. Ils le remercieront plus tard, quand ils comprendront. Même attitude vis-à-vis de ses ministres: qu'est-ce qu'ils deviendraient sans lui?

Ce tribun est un orateur médiocre: sa voix rocailleuse répète tout au long du discours deux ou trois affirmations qui reviennent constamment sous forme pompeuse: il prêche plutôt qu'il ne discourt.

Moins à l'aise sur les terrains de baseball que dans les joutes politiques.

Mais «sa présence» se double d'un redoutable «debater» qui n'hésite pas à utiliser le sophisme «gros bon sens» et la démagogie pour marteler un adversaire tant qu'il n'est pas à terre. Son art, c'est d'éviter souvent le fond de la question pour amener un sujet, qui n'a peut-être aucun rapport avec elle, mais qui est à son avantage: il est d'une mauvaise foi naïve qui déroute l'adversaire. Ayant l'agressivité constante de celui qui est toujours sur la défensive, au besoin, il pratique la guerre préventive, par de lourdes charges à l'emporte-pièce.

Son arme est plutôt la répartie blessante et la plaisanterie lourde ou le calembour: l'humour gras provient plus des tripes que de la tête. Pour être bon, il faut que ça fasse mal; souvent bien malgré lui, car il agit de la sorte autant vis-à-vis de ses amis que de ses ennemis.

À preuve, parmi les mots de Duplessis, deux exemples:

Promenades dans les gorges, dans les années 20. À l'extrême droite, Maurice Duplessis.

Vis-à-vis des adversaires: en Chambre, à propos d'un projet de loi, un libéral s'écrie «Vous nous volez notre programme» — «La loi dit qu'il n'y a pas vol quand la chose ne vaut pas 25 cents!»

Vis-à-vis des intimes: Gérald Martineau vient d'être nommé conseiller législatif «Maurice, que disent les gens de ma nomination?» «Ils disent rien: *ILS RISENT!*»

Pourtant il n'est pas méchant: tout au contraire, après coup, il aura de l'amitié, voire même un sentiment de culpabilité, pour celui qu'il a démoli.

Mais c'est la règle de la «game». Pour lui, la politique, c'est un peu de hockey — dont il est si friand — : sur la glace, il faut «tasser» l'adversaire, voire même amorcer une bonne bagarre pour le sonner. Hors de la patinoire, il n'y a pas d'ennemis.

Scrupuleux en matière d'argent, quand il s'agit de lui en tant qu'individu; il ne refuse pas les fonds pour la bonne cause, celle

qu'il défend, et ne veut pas en connaître l'origine. Il est prodigue de celui qu'il a. Amis ou ennemis tout le monde peut le *taper* avec profit: il n'aura jamais *une cenne noire* devant lui... Il est tout naturellement charitable, parce que, en bon Canadien-français, il est (cela va de soi) catholique...

Maurice Duplessis au début du siècle parmi les élèves du Séminaire Saint-Joseph de Trois-Rivières.

En cette matière, il a la foi du charbonnier et fait plus preuve de religiosité fervente que de foi réfléchie. La forme du rituel est plus importante que le fond: la messe du premier vendredi du mois, le conseil des ministres et les élections le mercredi, jour dédié à Saint-Joseph, la messe le dimanche quelle que soit la température! Il suffit que quelque chose mette — même indirectement — la religion en question pour qu'il la combatte. Tout ce qu'elle a institué est bon, et ne peut être remis en cause: le Québec et la foi ne font qu'un tout! Au besoin, plus religieux que le pape, il s'attaque, mais indirectement, aux petits curés ou aux organisations religieuses, telle la JOC, qui préconise des idées nouvelles qui sentent le soufre par rapport à son orthodoxie.

Ses rapports avec la hiérarchie catholique seront toujours ambigus: il respectera les évêques, dans leurs fonctions, mais il se méfiera d'eux, à cause de leur puissance. Il y a chez lui du gallican! Ne pouvant les combattre, il les couvrira d'or, pour les faire —comme il le dit si bien— « manger dans sa main ».

En politique, autant qu'en religion, le dogme l'emporte sur la doctrine. Il est d'autant plus vague qu'il est passionné.

Conservateur dans l'âme, il n'est pas ennemi d'un certain progrès. À condition, toutefois, qu'il ne change rien à ce qui existe depuis toujours! Car un tiens vaut mieux que deux tu l'auras! D'où son attachement aux valeurs terriennes qui détiennent toutes les solutions: les richesses naturelles, l'électricité (ça se fait avec de l'eau!) et l'agriculture qu'il respecte —alors qu'il est d'origine bourgeoise! — Ce n'est pas pour rien que les agriculteurs ont été sa base électorale!

Il est xénophobe: il n'aime pas les Français, les « nègres », « les Juifs », les « émigrés » en général. Certains de ses propos frôlent le racisme et le font accuser de fascisme. Tout ce qui vient d'ailleurs sent le fagot: il a même un sentiment de supériorité canadien-français, très propre aux gens colonisés. Il fait une exception pour les Américains et les Anglais: non pas qu'il les aime mais il faut bien qu'ils aient quelque qualité supérieure pour dominer le

La politique et l'Église: un symbole du Québec d'avant la Révolution Tranquille.

Le 14 septembre 1913, Maurice Duplessis est reçu avocat à l'Université Laval.

Québec? Domination à laquelle il se résigne à contre-coeur. Il nomme toujours un anglophone ministre des Finances: ça fait plus sérieux!

En matière de budget, sa conception est tout aussi simple. Les risques d'investissement c'est pour les particuliers. Un bon gouvernement, c'est celui qui dépense moins qu'il ne reçoit. Le fait d'annoncer triomphalement un surplus financier n'est pas uniquement électoral, Duplessis en éprouve de la fierté.

Bref, il dirige le Québec comme le ferait un avocat devenu gérant de boutique...

En matière d'éducation, l'État n'a pas à se mêler de ça: s'il subventionne largement les écoles, voire même les universités, il considère qu'elles doivent être élitistes. L'éducation obligatoire et pour tous lui semble une hérésie «Tout le monde n'est pas fait pour ça. L'instruction, c'est comme la boisson, il y en a qui ne la portent pas».

73

**PANIER DE PAMPLEMOUSSE REMPLI
DE FRUITS FRAIS ET DE SÉCURITÉ**

CONSOMMÉ BIEN-ÊTRE SOCIAL

BOEUF RÔTI AUTONOME

PETITS POIS FLEUR DE LYS

POMMES DE TERRE UNION

BÛCHE NATIONALE

PETITS FOURS PROGRÈS

CAFÉ LIBERTÉ

VIN AVENIR

Un menu très politique, servi le 7 mai 1956 « en hommage de la population du grand Montréal à l'Honorable Maurice Duplessis, Chef de l'Union Nationale ».

Certains aspects nouveaux, comme les sciences sociales, lui paraissent suspects et n'annoncent rien de bon. Par contre, il encourage les écoles de commerce ou les HEC qui forment «des administrateurs».

Toujours le gérant!

Vient la grosse question: Duplessis était-il indépendantiste? Ce dont on peut douter, quand on sait qu'il n'appréciait guère les groupuscules indépendantistes... qui d'ailleurs, avaient le tort de ne pas voter pour lui!

Ce qui est certain, c'est qu'il était passionnément nationaliste. Or ce sentiment, comme chez bien des gens de son époque, était profondément ambigu. Là encore, on avait affaire plus à un sentiment qu'à une attitude politique réfléchie.

Le gouvernement fédéral était pour lui un danger permanent: autonomiste dans l'âme, il luttait avec force contre tout empiètement réel ou appréhendé des droits provinciaux. D'ailleurs, on n'en avait jamais assez «Il faut aller chercher notre butin» était son cri de guerre. Face au danger, et sous le coup de l'émotion, il frôlait l'indépendantisme de manière inconsciente «Si le gouvernement fédéral ne veut pas faire justice au Québec, qu'il nous dise de sortir de la confédération!»...

Mais ce sentiment était complexe: malgré les charges répétées, il craignait Ottawa: «C'est là où se manie la grosse argent» soupirait-il. Il n'hésita pas à appuyer manifestement les conservateurs de Diefenbaker, qui ne passaient pourtant pas pour des décentralisateurs, mais en opposition à Saint-Laurent, qui comme bien des ministres canadiens-français, était plus fédéraliste que les Anglais eux-mêmes. Bref il jouait sur les deux tableaux, selon les circonstances...

Au fond, si un homme est le produit de son époque, il en est le reflet: il est indiscutable que Duplessis était largement soutenu par le peuple — ce dont il se vantait — même s'il souffrait quelquefois de ses mesures: comment expliquer autrement le soutien que les quartiers ouvriers lui donnaient alors qu'il était presque anti-syndical et contre les grèves? Parce que finalement, à travers toutes ses contradictions, le peuple se reconnaissait en lui...

La nature de Duplessis? Et si c'était celle du Canadien-français moyen, de son époque, qui se retrouvait au pouvoir?

ALBÉRIC BOURGEOIS CROQUÉ PAR NORMAND HUDON

Quand j'allais porter mes tableautins qui faisaient la page couverture du supplément de *La Presse* du samedi des années quarante, je voyais souvent, dans le vieil ascenseur, un petit monsieur à l'œil rieur, habillé en boulevardier des années vingt, lunettes, béret, cigarette aux lèvres. Il avait son bureau au quatrième étage et laissait sa porte entr'ouverte. C'est ainsi que je l'ai connu.

Il était à sa table de travail, juché sur son banc rehaussé de trois coussins. Faut dire que ce bon Albéric se dressait de ses cinq pieds deux. Je lui ai dit qu'il avait enchanté mon enfance. J'avais quinze ans. C'est un âge où l'on se prend pour un homme.

Monsieur Bourgeois venait de terminer un autre de ses dessins de *Baptiste et Catherine.* Un classique qui a bien fait rire nos grands-mères. Le vieux Baptiste, la pipe de plâtre renversée, l'œil ratoureux; Catherine, sa femme, lunettes rondes, qui me faisait penser à ma grand-mère Hudon, faisait constamment de la tire qui, d'ailleurs, s'appelait dans le commerce de la tire *Sainte-Catherine.* (Je ne sais pas si le p'tit Albéric a touché des droits d'auteur là-dessus).

Il avait appris le dessin aux cours du soir. Il dessinait après, le jour. Ça paraît! Il a dessiné pendant plus de soixante-dix ans. Il nous a eus à l'usure.

En me voyant entrer dans son bureau, il me demanda ce que je voulais. Puis une fois renseigné, il me dit: « Vous savez, jeune homme, faites comme moi, que des chefs-d'œuvre! C'est plus facile, et puis on perd moins d'temps! »

Albéric Bourgeois par lui-même.

Il écrivait des revues satiriques avec Hector Pellerin. Le cabaret *Le Matou botté* eut son heure de gloire. On y blaguait Alexandre Taschereau, premier ministre, Médéric Martin, maire de Montréal, Borden, Duplessis, un débutant, Camillien Houde...

Un jour, le grand Robert LaPalme eut une de ses bonnes idées. Rendre hommage à Albéric Bourgeois. Il invita tous les caricaturistes qu'il avait sous la main. La réception eut lieu au *Cercle Universitaire*, rue Sherbrooke est. Ce fut charmant de nous connaître personnellement. Il y avait aussi deux jeunes Français de passage qui nous donnèrent un très bon spectacle. C'étaient Pierre Roche et Charles Aznavour, inconnus à l'époque. On était dans les années 50.

C'est avec des Albéric Bourgeois que l'on fait un pays.

Albéric Bourgeois aura été un pamphlétaire qui lança ses fléchettes contre la société, sans hargne, sans amertume, que de la gouaille, de la joyeuse rigolade.

Un bon vivant, un fin causeur graphique. Il ne travaillait pas avec un bistouri, mais avec un plumeau. Il n'était pas méchant. Il était bon.

Un bonhomme qui a bien su « rouler sa boule ».

Histoire d'un tenace citoyen de Montréal qui, avec son fils, s'est obstiné à vouloir traverser une rue aux heures de circulation intense.

LA PASSION DE FÉLIX LECLERC

Il avait deux montagnes à traverser, deux rivières à boire, six vieux lacs à déplacer, trois chutes neuves à mettre au lit, dix-huit savanes à nettoyer, une ville à faire avant la nuit...

Il avait surtout des livres à écrire, des livres pas comme ceux des autres, parce que les siens!

Il avait surtout des chansons à transmettre à au moins trois générations, celles d'un pays tout neuf, à peine abîmé, prometteur et en mal d'expressions nouvelles et décisives au cœur même de son grand réveil, celui d'un Québec à la fine pointe de sa tardive mais si concluante éclosion.

Et ce « lièvre errant et national », le cœur rempli de poésie terrienne et le regard braqué sur l'horizon infini de son rêve, a accompli sa noble mission de poète responsable, au-delà même de ses engagements premiers, au-delà même de ses frontières inconnues.

Parti de La Tuque, son lit natal, ce sixième fils d'une famille de onze enfants, héritera du père cette insatiable envie de grand large, cet impérieux besoin de bouger, de se déplacer, d'user ses souliers voyageurs ici, là, ailleurs. Et c'est pourquoi, dès la fin de cette enfance formatrice chacun des siens, tout comme lui, allait les « pieds nus dans l'aube » et coude-à-coude pour mieux prendre conscience du paisible bonheur familial qui devait les protéger dans un avenir taillé à la mesure du grand idéal entrevu:

« Notre sentier près du ruisseau
« est déchiré par les labours
« Si tu venais, dis-moi le jour
« Je guetterai sous le bouleau

Ce premier sentier du premier rendez-vous et de l'initiale partance conduit-il toujours quelque-part? À la condition de se mettre en route, baluchon au dos. Dans celui du jeune Félix — yeux tendrement confiants et cheveux en bataille — il y avait déjà: le culte du terroir, le patrimoine champêtre des aïeux, le respect des êtres et des choses paysannes.

Et le voilà parti... sur des sentiers tout d'abord imprécis mais tout de même déterminants, avec escale à l'Université d'Ottawa. Mais peut-on vraiment mettre en cage un « lièvre en puissance »... mais peut-on vraiment « universiter » un poète en goguette? Au tournant, quelques métiers s'offrent délibérément à lui. Il les côtoyera tour à tour sans toutefois se poser, sans être parvenu encore à pouvoir jeter l'ancre dans un quelconque port d'attache.

LE PETIT BONHEUR

Paroles & Musique
Felix LECL...

C'est un pe.tit bon.heur.. Que j'a.vais ra...sé.... Il é.tait tout en pleurs.. Sur le bord d'un fos.sé.. Q...il m'a vu pas.ser.. Il s'est mis à cri.er: —Monsieur ra.ma...moi,.. Chez vous emme.nez-moi... Mes frères m'ont oubli.é, je suis...bé je suis ma.la.de,.. Si vous n'me cueil.lez point, je vais mou.rir.quelle...la.de!...... Je me fe.rai pe.tit tendre et sou.mis, je vou...ju.re,.. Monsieur je vous en prie.de li.vrez-moi de ma tor.tu.re. 2.J'a... yeux,.. Je fais un grand dé.tour ou bien je me fer.me les yeux..

2.

J'ai pris le p'tit bonheur

L'ai mis sous mes haillons

J'ai dit : faut pas qu'il meure,

Viens-t-en dans ma maison.

Alors le p'tit bonheur

A fait sa guérison,

Sur le bord de mon cœur

Y avait une chanson.

Mes jours, mes nuits, mes peines, mes deuils, mon mal, tout fut oublié :

Ma vie de désœuvré, j'avais dégoût d'la recommencer,

Quand il pleuvait dehors ou qu'mes amis m'faisaient des peines.

J'prenais mon p'tit bonheur, et j'lui disais : c'est toi ma reine.

3.

Mon bonheur a fleuri,

Il a fait des bourgeons.

C'était le paradis,

Ça s'voyait sur mon front.

Or un matin joli

Quand j'sifflais ce refrain,

Mon bonheur est parti

Sans me donner la main.

J'eus beau le supplier, le cajoler, lui faire des scènes,

Lui montrer le grand trou' qu'il me faisait au fond du cœur,

Il s'en allait toujours, la tête haute, sans joie, sans haine,

Comme s'il ne voulait plus voir le soleil dans ma demeure.

4.

J'ai bien pensé mourir

De chagrin et d'ennui,

J'avais cessé de rire

C'était toujours la nuit.

Il me restait l'oubli,

Il me restait l'mépris,

Enfin que j'me suis dit :

Il me reste la vie.

J'ai repris mon baton, mes deuils, mes peines et mes guenilles,

Et je bats la semelle dans des pays de malheureux.

Aujourd'hui quand je vois 'une fontaine ou une fille,

Je fais un grand détour ou bien je me ferme les yeux. *(bis)*

R 2597 B   DILLARD & Cie, Imp. Paris

Oui, tour à tour ceci ou cela, donc: annonceur de radio à Trois-Rivières; comédien chez les Compagnons du Père Legault; scripteur sur les ondes radiophoniques (« Je me souviens ») de Radio-Canada, etc, etc.

« Au lieu de la pousser dans la maturité les mains vides, j'inviterai l'enfance à s'attarder le temps qu'il faut pour empocher des images pour la période d'hiver, la noire et dure période à vivre si longue et si fade de l'adulte qui n'en finit pas de pousser sur l'ennui. Deux sacs de clairons dans ses bagages, une perdrix morte, une pincée de poussière d'étoiles, une botte de légumes, du vin, le sourire de quelqu'un mort, une trace à suivre qui mène à l'île inaccessible, une corde de violon, un masque drôle... Quand absente est la présence de la femme, quand absente est la main de l'enfant dans la sienne, ces sacs sont nécessaires; et à l'unanimité, les enfants nouveaux poseront dans la main vide de l'homme solitaire les leurs ouvertes, chaudes et nues. »

Dans sa petite chambre anonyme d'une nouvelle grand'ville, le poète s'exprime déjà sur papier, rien que pour lui. Il écrit des choses, il griffonne son moi, il rature son lui... tout en fredonnant, entre deux brouillons, des musiques inventées sur place à même cette guitare achetée au rabais chez un brocanteur de Québec. Le poète erre, flâne, aime, redoute, souffre, construit, brode, accouche... s'imposant peu à peu en douce avant de conquérir le grand jour promis.

Car, avant même d'exprimer sa chanson, il révèlera le poète-écrivain qui le représente depuis. Dès 1943, chez Fides, c'est la parution d'un premier livre « Adagio » qui sera aussitôt suivi par les autres —premiers jets qui constitueront son œuvre littéraire— « Andante », « Allegro », « Pieds nus dans l'Aube »... Il se situe dès lors au-dessus de tout ce qui fut, de tout ce qui est, de tout ce qui sera aussi. Et le Québec acclame «son» nouveau Giono, ce fabuliste inspiré qui jongle avec les étoiles, en clignant de l'œil aux crapauds, les bras chargés de grandes brassées de blé mur. Héros d'un groupe d'avant-garde qui se distingue déjà à

l'orée de cette toute nouvelle expression artistique et théâtrale, c'est la fondation, du côté de Vaudreuil, de la Compagnie V.L.M.: Viens, Leclerc, Mauffette. Et Félix, le grand Félix chante pour eux, à la veillée, ses toutes premières chansons. Elles ne pouvaient décidément pas demeurer en vase clos, en veilleuse. Elles traversent ainsi la rampe en s'apprêtant à faire leur petit tour du monde. Un grand Monsieur de Paris va décider de leur sort.

De passage à Montréal à la recherche d'un exceptionnel talent, Jacques Canetti passe par CKVL qui est alors la radio-véhicule de la chanson française, parrainée par Pierre Dulude, l'inventeur de la « Parade » et par Guy Mauffette, son porte-parole sur les ondes. Ils décideront sur-le-champ du destin de la fabuleuse carrière de Félix Leclerc en l'expulsant presque de force de sa cage dorée. Au bout du fil, il y a réticence de sa part. L'écriture est sa vie et la chanson qu'un à-côté. Pour un peu, il refuserait cette audition devant Canetti. Elle aura lieu dans l'un des studios de CKVL où le grand miracle ne tardera pas à s'accomplir. Dès que le grand imprésario parisien entend cela, il est conquis. Il lui tend aussitôt ce contrat pour l'A.B.C. Et le 22 décembre 1950, il est là sur l'historique scène de ce music-hall des grands boulevards. Il est là dans son costume de paysan endimanché, le pied sur une chaise, gauche et vrai, sa guitare maladroite entre les bras. Et c'est aussitôt la révélation! Jamais Paris n'avait vu et entendu une poésie pareille. Le « lièvre » avait consenti à quitter sa contrée de neige pour environ quinze jours et voilà que Paris en fait une vedette de premier plan, le héros d'un Grand Prix du disque, suprême consécration à l'époque.

On connaît un peu la suite merveilleuse...

Ambassadeur de l'authentique chanson du Québec, père de nos chansonniers (ce terme est beaucoup plus exact ici que là-bas), Félix Leclerc venait d'ouvrir la grande porte à tous ceux qui devaient y venir par la suite...

Jean Giono a dit de lui: « Et il raconte son histoire sans forcer son talent, sans vanité, sans vouloir se faire prendre pour ce qu'il n'est pas: ce qui est le vrai moyen d'écrire un bon livre. »

Et Pierre MacOrlan: « Jusqu'à ce jour, la chanson populaire canadienne interprétait en les modifiant de vieilles chansons française du XVIIe et du XVIIIe siècles. Avec « Le Bal chez Boulé », « C'est l'Aviron qui nous Mène » et quelques autres chansons chantées à la Fête des Sucres, le Canada impose un pittoresque sentimental et géographique qui lui est propre. Ainsi, de traditions en traditions, la chanson populaire canadienne aboutit au poète Félix Leclerc qui est un grand poète populaire authentique dont le lyrisme est pétri, si l'on peut dire, dans la substance même de son pays. »

LE SECOND SOUFFLE DU CARNAVAL

Au son des sirènes, des tambours et des trompettes, il arrive enfin! Depuis des jours, on empile des sapins de Noël qui n'attendent plus que l'allumette du « Bonhomme Carnaval » pour s'embraser! Aussitôt, les plaines d'Abraham s'illuminent, de grandes flammes montent dans le ciel, les visages ravis des enfants s'éclairent. Menés par leurs chefs Alphonse Picard et Delphis GrosLouis, une trentaine de Hurons en costume national dansent et chantent autour du plus grand Feu de Joie qu'on ait vu de mémoire de Québécois.

C'est le 19 janvier. Voici venu le temps des réjouissances, de la bombance, avant le carême, la ceinture serrée et l'abstinence. Toute la ville de Québec devient ruche bourdonnante. Dans les ateliers du Carnaval, plus de deux cents ouvriers temporaires: étalagistes, menuisiers, peintres, décorateurs, participent à la fabrication des chars allégoriques. Des centaines de bénévoles décorent les rues, ou s'improvisent sculpteurs.

D'éphémères œuvres d'art qui disparaîtront avec les premiers beaux jours, surgissent aux coins des rues, dans les cours, devant les maisons. Chaque jour, « Le Soleil » publie des photos étonnantes: le traversier de Lévis s'est-il vraiment échoué à l'angle des rues Carrier et Wolfe? Ce bateau long de 7,50 m et haut de 4 m, où les visiteurs viennent se promener par centaines, a demandé deux cents heures de travail au major Jacques Simonneau et à Georges-Étienne Samson. À la porte du collège Saint-Sacrement, une immense feuille d'érable surmonte l'inscription « Je me souviens »!

Devant la demeure d'Eugène Chalifour, au parc Falaise, deux

vieux, complètement gelés dans leurs chaises berçantes, essaient de se réchauffer le cœur autour d'un foyer de glace! À Lévis, à l'angle de l'avenue Bégin et de la côte du passage, Claude Fortin, de Lauzon, lance un guide indien et un trappeur dans une descente en canot qui ne prendra fin qu'au printemps! Il y en a de drôles et de sérieuses, il y en a qui s'imposent par leur taille et d'autres dont la finesse étonne... Bref, toutes plus réussies les unes que les autres, les statues de glace ou de neige sont tellement nombreuses, qu'il est bien difficile de décerner les trophées.

C'est en 1952 qu'on essaie timidement de faire renaître les carnavals du temps passé, en organisant à Québec un « dog Derby », une course de chiens de traîneaux. En 1955, le grand favori est le musher Émile Martel, de Loretteville. Hélas, il devra abandonner en cours de route. Des dix-neuf partants, treize seulement finissent la course qui se déroule du 28 au 30 janvier en trois étapes de 30 milles. Et c'est finalement Narcisse Dompierre qui l'emporte en un temps record de 7 h 39' 12" pour 90 milles!

Le carnaval débute vraiment le samedi 5 février, avec le grand

Le « dog-derby » de 1955.

défilé nocturne. C'est une Féerie de couleurs et de lumières! les organisateurs estiment que plus de 150 000 personnes se sont massées le long des rues. En tête, vient le grand carosse blanc de sa majesté la reine Estelle 1ère, couronnée d'argent et de brillants qui scintillent dans la nuit, et vêtue d'hermine blanche. Derrière, vient le char des princesses, la pompe à incendie de 1905, tirée par deux robustes chevaux, un « gros canard », suivi d'un « petit sauvage », le « soulier mou » des raquetteurs, la locomotive de 1853 qui enfume les rues de la vieille capitale, etc.

En tout, 26 chars rutilants suivis de toutes les fanfares de la ville, de tous les clubs sociaux et sportifs participants, skieurs, raquetteurs, curlers, etc. C'est la grande parade du rêve et du rire. Les spectateurs radieux acclament et applaudissent les chars les plus drôles comme les plus somptueux. Et tous reprennent en chœur la chanson officielle du Carnaval, qui va leur trotter dans la tête pendant deux semaines:

Carnaval, mardi gras, carnaval!
À Québec, c'est tout un festival!
Carnaval, mardi gras, carnaval!
Chantons tous le joyeux carnaval!

Une manifestation de plaisir et de joie, qui entraîne la foule à la

suite de son long cortège, et dont le feu d'artifice final exprime mieux que des mots tout l'éclat, tout le rayonnement!

Pendant deux semaines, les compétitions se succèdent sans jamais se ressembler: curling, courses de raquetteurs, de tacots, de skieurs; insolites parfois, comme le concours de moustaches, ou impressionnantes, comme la traversée du fleuve en canots. Dix-huit équipes attendent le signal du départ. Ils sont partis! Sur leurs frêles embarcations les hommes s'élancent à l'assaut du Saint-Laurent, au milieu des blocs de glace gigantesques que les eaux tumultueuses charrient à marée montante. Cette compétition requiert non seulement du courage, mais aussi une grande agilité et une santé à toute épreuve.

Que se passe-t-il? L'équipe de la brasserie Brading est coincée entre deux énormes masses de glace. Leur canot commence à faire eau! Ils doivent abandonner. D'autres sont déportés et termineront la course loin du point de départ — qui est aussi celui de l'arrivée —, à la Pointe Carcy. Ils seront disqualifiés. L'équipe de la « Cire Succès » rencontre d'innombrables difficultés, mais elle réussit cependant à finir la course, bonne dernière, après 48'50" de lutte acharnée. Et voici les vainqueurs! Les frères Lachance:

Liquori, 42 ans, le pilote de l'équipe, Joseph Euchère, Jean-Marc et Paul ont effectué l'aller-retour en moins de dix minutes. Parmi les spectateurs, un vieil homme pleure de joie et de fierté. C'est leur père, Joseph Lachance, qui a participé aux épreuves en 1930 et 1931.

Il faut dire que cette famille de seize enfants a de l'entraînement. Étant les seuls habitants de l'Île Aux Canots, en face de Montmagny, l'hiver, ils font la traversée à la rame trois fois par semaine, pour aller au ravitaillement et aux nouvelles! Le brise-glace N.B. McLean, qui se tient prêt à porter secours aux canots en détresse, ramène tous les participants à Lévis, où une prime de $500 sera décernée aux vainqueurs.

Le vendredi 18 février, sur le thème « Légendes canadiennes et revenants », le grand « Bal travesti » du château Frontenac débute par un spectacle de trente minutes, mis en scène par Pierre Boucher. Cinquante acteurs d'un soir et des danseurs professionnels font revivre de fabuleux personnages: « Les sorciers de l'Ile d'Orléans », « Le Braillard de la Madeleine », « La Tête qui roule », « Rose Latulippe », « La Gangou », « Le Loup-Garou » et

« La Corriveau ». Un mois à l'avance, tous les billets sont vendus. Pour $7.50 chacune, huit cents personnes s'offrent ce soir la joie de jouer les revenants, en buvant une coupe de champagne.

Les yeux éblouis, mais le cœur serré, les autres regardent les heureux costumés gravir les marches du château Frontenac. Pour cette grande fête mondaine qui n'a que faire de la chronologie, le roi Henri VIII retrouve Anne Boleyn, un académicien donne le bras à une ravissante Indienne, Napoléon Bonaparte et Joséphine sourient à la reine déchue, Marie-Antoinette, à qui l'intendant Jean Talon rêve de faire perdre la tête, et Lord et Lady Durham se font fort de ne pas écorcher le français. À 22 h, parée d'une robe de velours bleu roi rehaussé d'hermine, la reine ouvre le bal. En un instant, les rythmes endiablés d'une musique américaine balayent les allures guindées de la première heure. Les autres sont allés se consoler au bal populaire de l'aréna, moins sélect, plus ouvert, où la bière remplace souvent le champagne, mais où l'on s'amuse ferme. Plus on est de fous, plus on rit!

Mardi gras, veille du carême, tous les magasins et tous les bureaux de la ville ferment leurs portes à 13 heures. Malgré l'épaisseur du brouillard et la pluie intermittente, plus de 200 000 personnes suivent la grande parade de clôture et contemplent, émerveillés, le feu d'artifice de trois quarts d'heure qui se termine en apothéose par le drapeau québécois.

Le palais de glace en 1958.

Créé cette année par les hommes d'affaires de Québec, dans l'espoir que le succès du carnaval 1955 le rendrait tellement populaire chez les Québécois qu'il symboliserait leur ville à l'avenir, le Bonhomme Carnaval rentre dans l'ombre pour un an. Mais ses pères peuvent se réjouir: vingt-cinq ans plus tard, il déborde toujours de vitalité, et le carnaval de Québec attire chaque année plus de touristes qu'ils n'avaient osé l'espérer. Peut-être même l'évoquerons-nous un jour avec regret et un brin de malice dans la voix, comme les vieux évoquaient, avant sa renaissance, le carnaval de leur jeune temps et surtout celui de 1894!

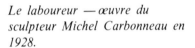

Course de tacots en 1959.

Le laboureur — œuvre du sculpteur Michel Carbonneau en 1928.

Yvan Jolin, champion québécois, saute quatorze barils en 1963.

RÉAL CAOUETTE S'EN VIENT...

Entre deux va-et-vient au réfrigérateur pour renouveler la p'tite bière « tablette », le crissement des chips et des croustilles, et le café de madame, tout le Québec a l'oeil vissé sur le petit écran: après la finale de la Coupe Stanley, c'est la soirée des élections qui bat tous les records de cote d'écoute.

C'est qu'en cette soirée du lundi 18 juin 1962, il y a du suspense dans l'air! Diefenbaker va-t-il rester ou bien Pearson va-t-il lui « donner la claque »? Certes, la dernière fois, Québec a voté bleu. Mais une fois n'est pas coutume, et il paraît qu'on va retourner aux premières amours: les libéraux. D'ailleurs, tout ce qui suppute, impute ou dispute dans les éditoriaux le prévoit. Même, les messieurs qui sont là pour commenter les résultats face à la caméra, au fur et à mesure qu'ils rentrent.

Bien sûr, il y a quelques originaux. Pierre Elliot Trudeau croit que le NPD doit gagner des sièges. Certains ont parlé d'une augmentation du vote pour le Crédit Social. Mais ça ne fait pas très sérieux, surtout avec leur slogan « Votez pour le Crédit, vous n'avez rien à perdre ». Ça sera peut-être un vote de protestation qui va fausser le jeu, dans certains comtés; c'est le signe d'une certaine droite arriérée qui ne représente qu'une partie infime de la population! Tout le monde sait qu'au Québec, on vote rouge ou bleu...

Bref, on attend Diefenbaker ou Pearson (lui surtout!)! C'est Réal Caouette qui arrive...

Tandis que les experts, dont la mine s'allonge, s'embrouillent et bafouillent, le Québec découvre petit à petit qu'encore une fois, il

Camille Samson et son père spirituel.

a faussé le jeu fédéral. À la fin de la soirée, il faut se rendre à l'évidence: sont élus cent seize progressiste-conservateurs, cent libéraux, dix-neuf néo-démocrates et trente créditistes dont vingt-six du Québec...

« Nous allons faire une courte pause pour nous rendre à Rouyn-Noranda ». Car le chef du Crédit Social a beau être Thompson, un gars de l'Ouest, tout le monde a compris que, maintenant, c'est à Rouyn-Noranda que cela se passe!

« À vous Rouyn-Noranda... »

« Comme che l'ai toujours dit pendant la campagne électorale, mesdames, mechieux, ch'est le Crédit Chosial qui a la balance du pouvoir ».

Désormais, le Crédit Social, c'est Réal Caouette...

Avec son chuintement, ses grosses lunettes, ses bras qui gesticulent, sa voix qui porte fort; ses expressions pittoresques dans le genre « les requins de la finance », « le chochialisme qui nous menace » qui entrelardent un discours fait de mots simples, d'invocations de la doctrine du major Douglas et d'appels « au bon sens », Réal Caouette est presque une caricature vivante qui fait la joie des dessinateurs et des imitateurs.

C'en est peut-être une, mais d'un fait qui existe, et qui, dans ce Québec de plus en plus urbanisé, finit par être oublié: celui de la race des pionniers, des petites gens qui habitent dans les régions éloignées et dont le peu de bien a été acquis après force misères. Ce n'est pas pour rien que les gens de la Beauce, du Tesmicamingue ou de l'Abitibi, après beaucoup d'hésitations, lui seront d'une loyauté sans failles. Dans Réal Caouette, bien plus que le Crédit Social, c'est un des leurs qu'ils ont fini par reconnaître. Il est leur voix qui gueule dans les villes et les parlements où on ne les entend pas. Un peu paysan, beaucoup ouvrier, dépendant bien souvent, pour le travail, d'une compagnie qui mène tout droit dans ces villes surgies de nulle part auprès des mines — entourées de terre où poussent plus souvent le caillou que le foin — l'homme de ces pays, bon à tout et le coeur à l'ouvrage, se bat pour vivre et se méfie de tout: on l'a tellement abusé, surtout dans le temps des élections!

Le succès de Réal Caouette, « Réal » pour ses fidèles, c'est le leur. À juste titre. Pour comprendre le crédit social québécois, point n'est besoin, comme dans les colonnes du Devoir, de se livrer à de

savantes exégèses: il suffit de connaître la biographie de Réal Caouette, celle d'un self-made-man...

En 1962, le chef du Parti Créditiste félicite Roland Michener, le nouvel orateur des Communes.

Papa et maman Caouette viennent de Saint-Prosper-de-Champlain. Cultivateurs, bons catholiques, ils sont venus s'installer sur un lopin de terre à quatre milles du village d'Amos. C'est là que leurs cinq enfants, dont Réal, vont naître. Puis, la famille s'installe à Amos. En 1923, Réal qui a 6 ans va à l'école: à pied, bien sûr, un mille et demi pour y aller, autant pour le retour. C'est un garçon bien vivant qui tire les couettes des filles, mais qui a une passion: le hockey. C'est un gagnant qui n'a pas peur de se faire « tasser », et de plaquer, malgré ses saignements de nez... Il s'en faut de peu qu'il fasse une carrière, il jouera son dernier match en 1935, à l'âge de dix-huit ans, avec l'équipe d'Amos.

En 1933 il entre dans un collège bilingue à Victoriaville: c'est presque l'exil! Mais la finance l'intéresse, il deviendra comptable, peut-être...

Seulement, papa n'a plus d'argent: la crise fait long feu. Réal revient à Amos. Grâce au député Hector Vautrin — qui deviendra célèbre à cause des « culottes »! — il trouve un petit travail. Il va même lui donner un coup de main pour la colonisation des terres. Avec l'argent, hop! une nouvelle année au Collège. À cette époque il est « rouge ». « J'étais plus libéral que Taschereau lui-même! » Il gagne un concours oratoire, mais à vingt ans, faut gagner sa vie!...

Donc, on prend ce qu'on peut: commis à la BCN, comptable dans un magasin général, puis ensuite dans un garage (pardon le garage d'Amos!). Ce qui ne l'empêche pas de travailler à la construction d'une route, de devenir épicier, et plus tard d'acheter son propre garage...

Quand on a une famille, il faut bien vivre... L'enthousiasme aidant, rien n'est impossible! À preuve, sa conversion au Crédit Social. Il achète au magasin général la brochure du major Thompson qui est propagée par Louis Evans et Gilberte Côté-Mercier de l'Union des Électeurs, sous le signe du béret blanc, du Crédit et de la Croix, le lit et s'écrie « J'embarque! »

Et quand Réal embarque, c'est pour de bon!.

Première expérience en 1944: il se présente sous la bannière de l'Union des Électeurs, sans trop de chances. Son frère, lui, soutient le Bloc Populaire! Hélas, pour le provincial, ça fait farfelu. Il est battu!

En 1945, au tour du fédéral: même scénario. Ça ne fait rien, le

BÂTONS DE VIEILLESSE

garagiste qui vend les meilleures voitures en ville se relance en 1946: ce coup-ci, ça y est, il est député de Pontiac! Avec sa verve et ses éclats de voix, il fait un peu incongru à Ottawa, même parmi les autres créditistes qui viennent de l'Ouest où Manning règne sur l'Alberta... C'est un back-bencher qui voudrait bien cesser de l'être...

Aussi pas étonnant qu'en 1953, il se fasse battre, et perde son siège!

Ottawa n'en veut plus? Bon, on va essayer Québec! Justement, en 1956, c'est la guerre Sainte contre Duplessis: libéraux et Union des Électeurs font cause commune, et même dans certains cas, candidat commun. Or il se trouve que dans la région, le meilleur orateur, celui qui fait courir les foules et que certains imitent, c'est Réal Caouette. Le voilà candidat...

Seulement Duplessis, c'est... Duplessis! C'est la déroute...

L'Union des Électeurs n'y survivra pas: sous la houlette de Gilberte Côté-Mercier, l'arme suprême devient le chapelet et la prière! Tout bon chrétien qu'il soit, Réal Caouette n'est pas d'accord. C'est la rupture.

Le temps de se faire battre une nouvelle fois dans une partielle au fédéral en 1957, juste pour se faire la main, et hop, le voilà de nouveau réélu en 1958...

Les *Westerners* du parti s'aperçoivent qu'il faut compter avec ce *frog* sautillant: c'est à lui que l'on doit les succès au Québec. Il devient donc lieutenant de Thompson, dont le créditisme s'aligne surtout sur celui de l'Alberta, donc qui met en veilleuse la doctrine fondamentale du contrôle du crédit par la banque du Canada. Pas Caouette! Ça donne lieu à des tiraillements dont le Crédit Social a le secret!

La victoire de 1962 accentue les choses: un chef de parti qui ne fait élire que quatre députés à l'autre bout du pays, tandis que le second en prend vingt-six, ça ne pèse pas lourd.

Enfin, lorsque la question des armes nucléaires vient sur le tapis, tandis que Thompson dans l'Ouest est pour, Réal Caouette est résolument contre: on le verra dans des manifestations, à côté des « chochialistes » tel Michel Chartrand, protester contre l'installation des Bomarc: le gouvernement Diefenbaker tombe et la campagne électorale se passe dans cette joyeuse ambiance. Bien

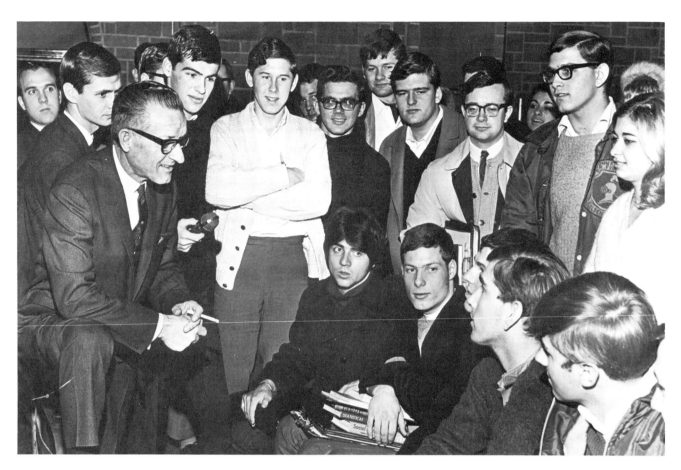

Y aura-t-il un jour parmi ces étudiants du Collège Loyola un député créditiste?

sûr, Pearson prend le pouvoir, mais avec un gouvernement minoritaire: le Crédit social, lui, a vingt sièges...

Dès le 1er septembre 1963, lorsque la question des armes nucléaires refait surface, c'est la rupture. Chacun s'en va de son côté: Thompson garde l'étiquette *Crédit social* avec sept députés dont trois transfuges du Québec. Réal devient le chef du *Ralliement Créditiste* avec treize députés...

Le diable est dans la cabane!

Pearson dure deux ans et c'est de nouveau la campagne électorale en 1965. Chacun se voulant plus créditiste que l'autre! Thompson a pour lui l'étiquette et Réal l'or de la pure doctrine. Résultat: un désastre, neuf sièges. Mais la tendance Thompson est lavée...

Dégoûté, Thompson, seul élu de sa troupe, ira rejoindre, peu glorieusement, les conservateurs...

Douce revanche pour les observateurs avertis: c'est la fin du créditisme au Québec... On recommence à rire des expressions de Réal Caouette qui multiplie, comme à plaisir, les réflexions saugrenues dans le genre « Ce gouvernement mène le pays sur le bord de l'abîme. Avec le Crédit Social, faites un pas en avant! » Ou bien à propos d'un projet de loi: « Nous combattrons le bill vingt-cinq heures par jour s'il le faut ».

Il faut dire que Leaster B. Pearson, las d'être éternellement minoritaire, cède la place à Pierre Elliot Trudeau. Le Québec tout entier n'a d'yeux que pour « PET ». Lors de la nouvelle campagne électorale de 1968, non seulement tout le monde est pris par la Trudeaumania, mais encore il est de bon ton de se moquer du « créditichme ». Réal Caouette n'hésite pas à aller rencontrer les étudiants qui se moquent de lui: « le fouet à Caouette », le slogan « le Crédit Social veut rendre financièrement possible ce qui est moralement souhaitable » deviennent des sujets de rigolade...

Arrive l'élection du 25 juin 1968. Tandis que l'on crie « Trudeau Trudeau » et qu'il remporte l'élection d'une manière majoritaire, qui transforme ses neuf sièges en quinze? Réal Caouette!

Or le Ralliement Créditiste, tant au niveau fédéral qu'au niveau provincial, ne manque pas d'animation. On pourrait écrire un véritable roman sur les exclusions qui confirment les départs, ou vice-versa: la bataille entre provinciaux (Caouette est contre) et fédéraux, le Congrès, dont le chef putatif se cache dans les toilettes (Yvon Dupuis); le groupe provincial qui part rejoindre le parti québécois, sous la houlette de Gilles Grégoire en 1968; le caucus qui est fédéraliste à tout cran un jour, et qui proclame le droit de toutes les provinces à se déterminer! Bref il y a de quoi perdre l'analyste le plus sérieux qui, lorsqu'il parle du Crédit Social, doit prendre une aspirine avant d'essayer de comprendre quelque chose... De toute façon, la chose est sûre: déchiré, divisé, le Crédit Social va en perdre lors de la prochaine élection...

Oui mais il y a Réal! « Che gouvernement, mesdames, mechieux, fait du socialisme déguisé. Les finances s'en vont chez le diable ». Et hop c'est reparti en 1972... « Che gouvernement reconnaît la Chine Communiste qui a un régime comme chelui que le FLQ voudrait nous imposer! C'est une honte... »

Cette fois-ci, dans divers milieux, on pense que l'électorat va se ressaisir: comment peut-on élire un bouffon?

Le bouffon ne perd que deux sièges et se retrouve avec treize députés!

Ah! gloussent les commentateurs tandis qu'encore une fois, on se

On manque d'orthographe mais pas d'éloquence.

retrouve avec un gouvernement minoritaire, le Crédit Social est en perte de vitesse, il est en train de mourir...

Il aura l'agonie bien longue puisque lors des nouvelles élections, le 8 juillet 1974, Réal Caouette se retrouve encore avec onze députés...

Mais Réal Caouette est épuisé: une vie de combat commence à faire ses effets. Avec son visage émacié, son dos qui se courbe, il continue pourtant à être le formidable orateur qui galvanise les foules... Petit à petit, le corps finit par avoir raison de la volonté: un début de diabète et surtout des attaques cardiaques, l'obligent, en 1976, à abandonner son poste, puis à rentrer à l'hôpital tandis que son secrétaire, André Fortin prend sa place. Un jour on apprend que Caouette est mort. Avec lui disparaît toute une équipe...

Le secret de Réal Caouette était son intime conviction en ce qu'il disait, en plus d'être le petit bonhomme dont les foules riaient, mais qui les représentait si bien. Cet homme vociférant, extrémiste sur les tribunes, était dans la vie de tous les jours, un homme tolérant et qui s'était fait député comme on se fait missionnaire: il répondait lui-même à toutes les lettres qu'il recevait, écoutait tous ceux qui venaient le voir, même parmi ses adversaires, connaissait tout le monde dans son comté, et discutait ferme avec tout ceux qui l'abordaient. C'était le dernier député individualiste, fort du bon droit de « mes électeurs de Rouyn-Noranda! » animé par une foi baroque et quelque peu simpliste, mais qui avait le mérite d'être terriblement sincère. Une grande partie de ce charisme provenait justement de cette sincérité qu'il projetait à travers ses auditeurs. C'était le paysan du Danube chez les aristocrates.

Avec le temps, les « nouvelles frontières du Québec » tendent à s'estomper: les nouvelles conquêtes ne sont plus les terres de l'Abitibi ou les mines dans le Témiscamingue, mais les grands chantiers de la Baie James, formés de gens qui ne font que passer. Les pionniers de Caouette s'endorment le soir devant la télévision, les terres s'abandonnent pour les villes, comme Amos (il est loin le village!)

Mais si vous vous promenez un jour, en Abitibi, il y a de fortes chances pour que le soir venu, dans la cuisine, vous entendiez parler de « Réal »...

La caricature des uns est devenue la légende des autres...

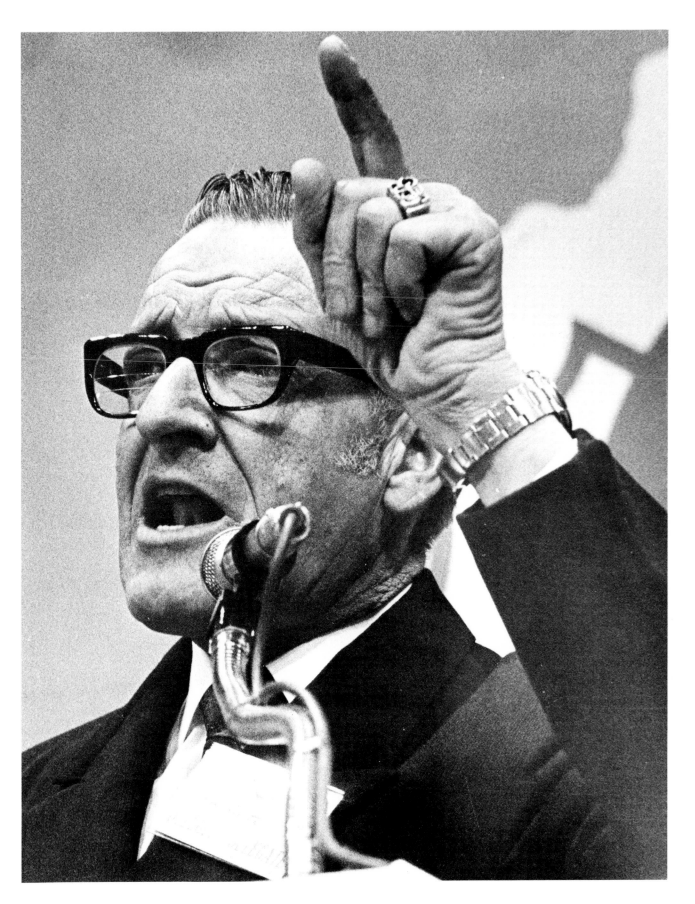

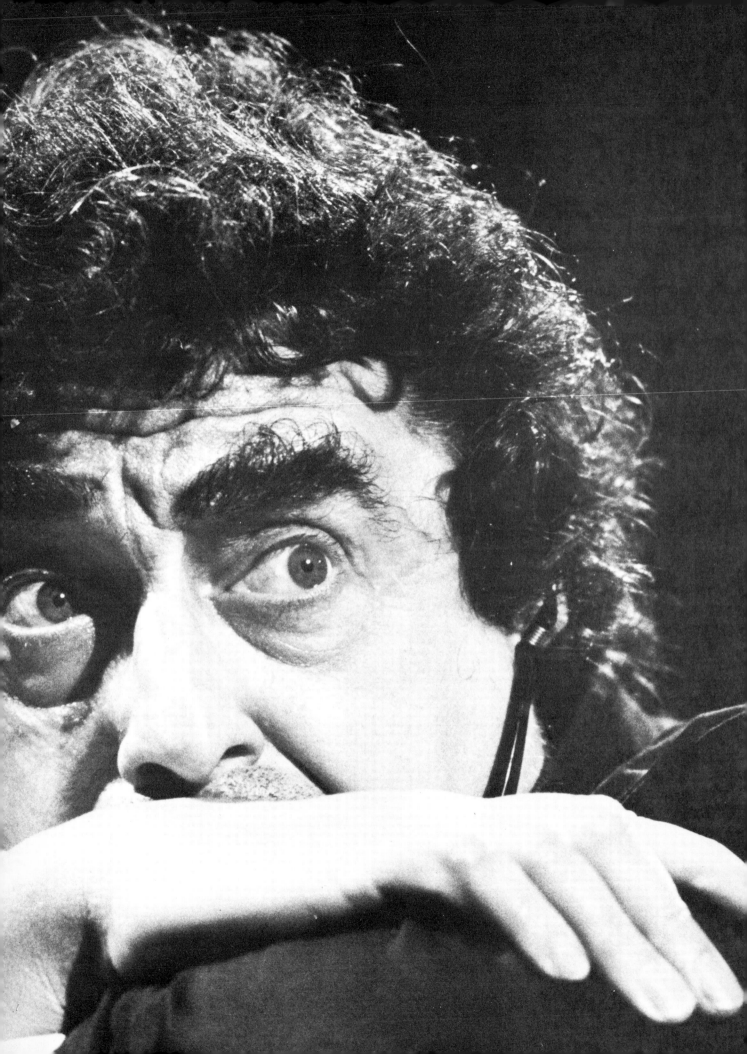

LE THÉÂTRE DE QUAT' SOUS

Le 10 mai 1963, cinq hommes et une femme se réunissent à Montréal en présence d'un homme de loi, Me Olivier Prat. Leurs noms: Paul Buissonneau, Yvon Deschamps, Louise Latraverse, Claude Léveillée, François Barbeau et Jean-Louis Millette. Leur but: la fondation et l'incorporation d'une compagnie théâtrale.

Aucun d'eux n'est particulièrement fortuné. Leurs noms devaient par la suite être connus de tous, au Québec, et leur théâtre jouer un rôle majeur dans l'histoire de la dramaturgie québécoise.

L'année suivante, le groupe fait l'acquisition d'une vieille synagogue, au 100 est, avenue des Pins, dans le centre-ville de Montréal. L'immeuble est promis au pic des démolisseurs. Le transformer en théâtre de cent-soixante sièges semble relever de la pure utopie. Pourtant, nos aventuriers s'attaquent résolument à la tâche. Ils font tant et si bien que le 3 décembre 1965, quelques jours avant Noël, le petit théâtre est inauguré avec *La Florentine*, de Jean Canole, mise en scène par Paul Buissonneau.

Pour Buissonneau, qui est l'âme dirigeante de l'entreprise, c'est un grand jour. Il marque la réalisation d'un rêve qui a dû jaillir dans son esprit plusieurs années auparavant. À quel moment? Alors qu'il errait dans Paris, exerçant trente-six métiers nécessitant une certaine dextérité manuelle; alors qu'il était en tournée avec « Les compagnons de la chanson » (formation vocale dont il fit partie et qui s'est taillé une renommée internationale dans les années 50); ou lorsqu'il vint s'établir au Québec par la suite pour finalement se consacrer au théâtre? Difficile à déterminer. Le rêve devait être ancré profondément car il lui fallut plusieurs années pour le concrétiser. L'inauguration du Théâtre de Quat' Sous, le 3 décembre 1965, s'inscrit en fait dans une continuité.

1958: Claude Léveillée dans « Les Oiseaux de Lune ».

Paul Buissonneau, frais émoulu des Compagnons de la chanson en 1956, à son arrivée au Québec.

Il faut remonter jusqu'en 1955 pour en retracer physiquement l'origine. C'est en 1955, effectivement, que le Quat' Sous fut créé par Claude Robillard et Paul Buissonneau. Il s'agit tout au plus, à cette époque, d'une troupe qui entreprend de monter un premier spectacle au Festival d'Art Dramatique, au Gésu, dans l'enceinte du vieux collège Sainte-Marie de Montréal. Pour le coup d'envoi, c'est « Orion le Tueur », de Maurice Fombeurre et Jean-Pierre Grenier, qui est choisi. Buissonneau est désigné pour assumer la mise en scène de la pièce. L'imagination déployée par Buissonneau à cette occasion, alliée au jeu des comédiens, assurent le succès du spectacle. Le caractère de troupe itinérante apparaît alors, puisque « Orion » est repris l'année suivante dans diverses parties de la ville. L'accueil du public étant favorable, la troupe décide de produire une nouvelle pièce en 1956, cette fois au Festival d'Art Dramatique régional et national. L'œuvre, « La tour Eiffel qui tue », de Guillaume Hanoteau, est couverte d'éloges. Dorénavant, plus rien n'arrêtera l'essor du Quat' Sous.

Puis les créations se succèdent: « La tour » est reprise en 1957, à Montréal. En 1958, la troupe monte « Les oiseaux de lune », de Marcel Aymé; « La bande à Bonnot », en 1959; puis trois pièces en 1960: « Les trois chapeaux-claque », « Le manteau de Galilée » et « Malbrough s'en va-t-en guerre ». Une période d'accalmie s'impose. Le rythme se ralentira jusqu'à l'incorporation du Théâtre, le 10 mai 1963.

1965: Henri Norbert dans « La Jument du Roi ».

De 1955 à 1965, plusieurs comédiens québécois se révèlent ou s'imposent avec la troupe du Quat' Sous. Qu'on songe à Claude Léveillée — qui devait bifurquer plus tard vers la chanson —; à Yvon Deschamps — qui opta en 1968 pour le « one-man show » et régna en maître sur les scènes québécoises —; à Jean-Louis Millette, Michèle Rossignol, Louis de Santis, Luc Durand, Mireille Lachance, François Tassé, Carmen Tremblay, Claude Préfontaine, Yvan Canuel, Gilbert Comtois, Germaine Dugas, Lise Lasalle, Gilles Latulippe même, sans parler de Jacques Godin, Tania Fédor et François Rozet qui ont évolué avec la troupe durant cette période.

Louise Latraverse dans: « La Florentine ».

L'inauguration, en 1965, du théâtre de l'avenue des Pins, ouvre une ère nouvelle. En plus de jouer Hartog, Hanoteau, Schisgall, Jellicoe, Delaney, Zindel, Tennessee Williams, Westphal, etc... le Quat' Sous entreprend d'accueillir les dramaturges québécois jusque-là en quête de tribunes. C'est le Quat' Sous qui a notamment permis à Michel Tremblay de faire monter par André

1966: Luc Durand, Marc Favreau, Michèle Rossignol dans « Love ».

Brassard quelques-unes de ses créations: « En pièces détachées », en 1969; « La duchesse de Langeais », en 1970; « À toi pour toujours ta Marie-Lou », en 1971 et « Hosanna », en 1973. D'autres auteurs québécois s'y sont également illustrés: Marie Savard, Michel Faure, Michel Garneau (avec « Sur le matelas », en 1973 et « Quatre à quatre », en 1974), Claude Roussin et Michel Beaulieu entre autres. « Le Grand Cirque Ordinaire », groupe de création collective, y a fait ses premiers ébats.

Le sens que le Théâtre de Quat' Sous donne à la création théâtrale à compter de 1965 permet notamment à Robert Charlebois, Yvon Deschamps, Louise Forestier et Mouffe de produire, avenue des Pins, l'« Ostidcho », en 1968. Claude Péloquin et le Jazz Libre du Québec collaborent également à l'événement. Événement de fait puisque ce super-show engage le Québec de 1968 dans une révolution musicale et culturelle qui eut des retombées plusieurs années durant et dont les ondes de choc atteignirent l'Europe francophone.

1959: François Tassé, Gilles Latulippe dans « La Bande à Bonnot ».

La promotion de l'imagination créatrice et la quête incessante de nouvelles formes de spectacles qui ont caractérisé le Théâtre de Quat' Sous depuis 1955, firent de ce théâtre le lieu privilégié de l'éclosion d'une énergie scénique nouvelle.

119

L'HISTOIRE D'AMOUR DE RAYMOND LÉVESQUE

Il était une fois un petit gars chétif et timide qui rêvait humblement et en cachette des siens d'une carrière dans le monde des artistes.

Sa mère était musicienne et son père à la fois éditeur, bouquiniste et libraire. C'est grâce à eux, que l'on retrouve un jour le petit Raymond Lévesque parmi les élèves doués de madame Jean-Louis Audet, celle qui formait les talents les plus divers pour en faire des vedettes de la radio. C'est dans l'une des émissions de l'École Audet, qu'il débute au micro comme comédien de... soutien. On ne sait jamais, cette expérience pourra certainement lui servir un jour. Il se prend d'affection pour les chansons de Charles Trenet, déjà des musiques et des mots s'associent en lui mais comment composer sans instrument? Raymond est pauvre! Il cherche une solution et trouve un ukulele chez un regrattier de la rue Craig. Cet instrument insolite devient bientôt l'outil indispensable à son inspiration. Il faut survivre... alors il devient garçon de café dans différents cabarets de la métropole. Dans l'un d'eux, il fait la connaissance de deux bonhommes sympathiques: Fernand Robidoux et Serge Deyglun.

Un jeune homme qui va faire parler de lui longtemps.

Le premier est alors une importante vedette du disque et de la chanson et le second passe dans les émissions écrites et jouées par son père, Henri Deyglun. Robidoux écoute avec intérêt les premières chansons de l'adolescent au ukulele, en retient quelques-unes pour lui et recommande les autres à des camarades. Guylaine Guy enregistre « À Ros'mont sous la pluie » qui devient vite un succès. Serge le fait travailler avec lui comme comédien. On commence à parler du jeune Raymond Lévesque et de ses chansons. Et déjà, sur les ondes de CKAC, il co-anime avec Paulette de Courval une série présentée sous le titre de « *Paulette et*

QUAND LES HOMMES VIVRONT D'AMO

Paroles et Musique
RAYMOND LEVES

Quand les hommes vivront d'amour
Il n'y au_ra plus de mi_sè_re

Et com_men_ce_ront les beaux jours,
Mais nous, nous se_rons morts, mon frè

Quand les hom_mes vi_vront d'a_mour
Ce se_ra la paix sur la ter_

Les sol_dats se_ront trou_ba_dours,
Mais nous, nous se_rons morts, mon frè

Dans la grand'chaî_ne de la vie,
O

CMLVI by
agnie Phonographique Française
IONS EDDIE BARCLAY
venue de Neuilly — NEUILLY-sur-SEINE.

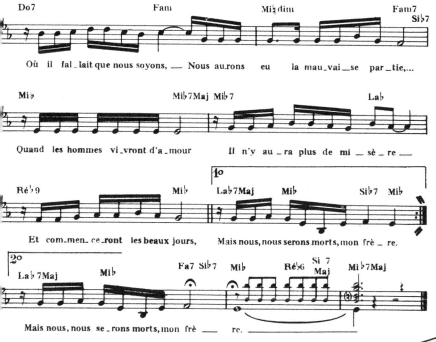

Où il fal_lait que nous soyons, — Nous au_rons eu la mau_vai_se par_tie,...

Quand les hommes vi_vront d'a_mour Il n'y au_ra plus de mi _ sè _ re —

Et com_men_ce_ront les beaux jours, Mais nous, nous serons morts, mon frè _ re.

Mais nous, nous se_rons morts, mon frè _ re. —

II

Mais quand les homm's vivront d'amour
Qu'il n'y aura plus de misère,
Peut-être song'ront-ils un jour
A nous qui serons morts, mon frère.
Nous qui aurons, aux mauvais jours,
Dans la haine et puis dans la guerre,
Cherché la paix, cherché l'amour,
Qu'ils connaîtront, alors, mon frère.
Dans la grand' chaîne de la vie,
Pour qu'il y ait un meilleur temps
Il faut toujours quelques perdants,
De la sagesse ici-bas c'est le prix.
Quand les hommes vivront d'amour
Il n'y aura plus de misère
Et commenceront les beaux jours,
Mais nous, nous serons morts, mon frère.

C.P.250 F.bis

QUAND LES HOMMES VIVRONT D'AMOUR...

À la Butte à Mathieu, l'été passe vite.

Raymond », où ses chansons prennent forcément la vedette. Enfin, la télévision naissante l'emploie, entre autres, dans la série: « Mes jeunes années », où il a Colette Bonheur comme partenaire.

C'est alors qu'il décide avec son copain Serge Deyglun de quitter cette gloire naissante pour l'intrépide conquête du grand Paris. Il y séjourne cinq ans. Le temps de manger beaucoup de vache enragée, de s'étioler dans toutes les petites boîtes de la Rive gauche et de Montmartre. Le temps aussi de se forger un métier et de faire des rencontres heureuses. Ils sont quelques-uns à Paris en ces débuts des années 50, quelques-uns à avoir tourné le dos à Montréal-Québec pour la grande aventure. En groupe, l'attente est moins longue. Fernand Robidoux fait déjà l'Olympia et les cabarets élégants de la capitale et enregistre chez London. Quant à Dominique Michel, elle entre dans la nouvelle écurie Barclay où elle enregistre sous étiquette Riviera « Une petite Canadienne », chanson écrite pour elle par Lévesque.

Les années n'ont rien changé à la fraîcheur d'âme de notre Raymond.

À Paris, on commence à parler du Canadien timide et de ses chansons «vachement pures, drôlement bien étoffées». Chez Riviera-Barclay, Raymond Lévesque se lie d'amitié avec le pianiste-compositeur-maison Émile Stern. Et c'est un peu à cause de lui si, un jour, deux chansons de Lévesque tombent sous les yeux de Eddie Constantine, la vedette du jour. Et c'est ainsi qu'il consacre notre Québécois en créant sur disque «Les trottoirs» et «Quand les hommes vivront d'amour», qui font très vite une carrière internationale. Imitant Constantine, Cora Vaucaire, Jean Sablon et Bourvil chantent à leur tour les chansons de Raymond Lévesque.

Une consécration aussi soudaine n'est pas monnaie courante. Ceux qui sont partis d'ici à la suite de Raymond — pour conquérir Paris — l'ont vite compris! L'unique Bozo-les-Culottes est revenu chez lui, moitié gouaille, moitié tendresse, poursuivre son œuvre de chansonnier et sa vie d'homme.

Aux Coqueluches, Raymond Lévesque entre son vieux complice Jacques Normand et son ami Pierre Nadeau. Gaston L'Heureux et Guy Boucher se sont tus devant leur grand aîné.

LOUIS ST-LAURENT S'EN VA

On est souvent ancêtre sans le savoir, et surtout de qui! Ainsi, ce digne et vieux monsieur qui garde son flegme, encore plus britannique que les Anglais eux-mêmes, habillé de noir, le front dégarni, la bouche un peu plissée entre le sourire et la moue qui préside à son enterrement politique, en ce congrès à la chefferie du 16 janvier 1958, ne se doute pas, que par Pearson interposé, il prépare la voie à un rejeton politique qui sera presque son petit-fils en la matière: Pierre Elliot Trudeau.

Louis St-Laurent, ayant 76 ans sonnés, suit l'exemple de son prédécesseur: battu, il s'en va avant qu'on le chasse, ce qui lui permet, sans bruit, de faire élire son dauphin, Leaster B. Pearson, tout reluisant de son prix Nobel de la Paix, à la tête du parti. À charge, pour lui, de récupérer les voix libérales du Québec, dont St-Laurent était la vedette... ce qu'il ne fera guère jusqu'à... Mais ceci est une autre histoire... Le French Power avant la lettre vient de passer la main!

Il y a des parentés qui relèvent de l'histoire: ainsi tout comme son dauphin, Louis St-Laurent naît à Compton, dans les Cantons de l'Est, d'une famille canadienne-type: papa Jean-Baptiste Moïse est un « Canayen pure laine », à la huitième génération, tandis que maman Mary Ann Broderick est irlandaise et institutrice catholique. La religion et l'attraction mutuelle étant peut-être les seuls liens, papa parle aux enfants en français et maman en anglais.

Tenant un peu des deux, Louis St-Laurent baigne dans la ferveur catholique, l'ascétisme puritain, l'esprit de chicane propre aux ancêtres normands, et dans le flegme des gens comme il faut...

Après quelques années comme stagiaire au cabinet Pelletier à Québec, Louis St-Laurent devient l'associé du fameux avocat en 1907. L'élève ne tarde pas à être aussi connu que le maître.

La famille étant cossue, St-Laurent fait ses études classiques et en 1905 il devient avocat en rentrant dans le bureau de Louis-Philippe Pelletier, rouge de bon ton, et avocat réputé...

L'élève ne tarde pas à dépasser le maître. Une cause en 1907 ne tarde pas à le rendre célèbre à travers la province: l'affaire Marius Barbeau. C'est une de ces solides causes beauceronnes où l'on voit un curé brandissant un testament en sa faveur, obtenu d'une grand'mère en voie de départ pour un monde meilleur; un héritier avec un autre testament qui prétend que celui-là est le seul vrai, et où un appel n'attend pas l'autre, bref un maquis juridique! St-Laurent prend l'affaire en main, et finit par gagner la cause en appel devant le juge Taschereau. Le voilà célèbre...

En 1912, il gagne une autre cause, en dommages et intérêts, contre le Canadien Pacifique. Loin de lui nuire, cela lui attire la sympathie des grandes compagnies qui savent apprécier les experts, même à leur propre détriment.

Aussi, lorsqu'il fonde son propre cabinet en 1923, il est bien parti. Tellement bien qu'il sera tour à tour bâtonnier du barreau québécois, président de différentes associations juridiques; bref il a devant lui une brillante carrière. Son petit péché mignon, sa spécialité c'est le droit constitutionnel...

Donc rien ne le prépare, semble-t-il, à la politique. Il participe même, en tant que personne ressource, à la commission royale Rowles.

Est-ce là que le prurit le prend? Ou bien, ayant raflé tous les honneurs, décide-t-il à l'âge de 60 ans de se recycler? Mystère... Toujours est-il que lorsque Ernest Lapointe, le bras droit canadien-français de Mackenzie King, meurt en 1941, ce dernier fait appel à St-Laurent, pour le remplacer...

C'est un bon choix, puisque c'est un juriste respecté à travers tout le Québec. Aussi d'emblée, le nomme-t-il ministre de la justice, avant même d'avoir été élu. N'étant pas lié par des promesses électorales, il participe à la campagne de souscription pour la victoire, en 1941; ce n'est finalement que dans une élection partielle, dans Québec-Est, le 9 février 1942, qu'il devient enfin député.

Mackenzie King et lui font la paire: le mystique qui fait tourner les tables et demande leurs opinions aux grands hommes du passé sur les affaires courantes, s'entend fort bien avec ce Canadien français

Les deux aînés de la famille St-Laurent, établie au Canada depuis 1653, posent pour le photographe local de Compton. Louis vient d'avoir six ans, et sa soeur Lora n'est encore qu'un bébé en jupons de dentelle.

—qui parle français avec un léger accent anglais—austère, presque puritain, et qui est aussi l'avocat champion du compromis et des causes «tortilleuses». En 1944, St-Laurent devient secrétaire d'État aux Affaires Extérieures — poste où l'on ne chôme pas — tout en restant ministre de la justice. Ce qui fait qu'il va piloter à la Chambre, la question des allocations familiales (ce qui met le feu aux poudres dans certaines provinces) et du même souffle, négocier les accords Bretonwood sur le Fonds Monétaire International... C'est en participant à la fondation des Nations-Unies qu'il découvre son lieutenant à lui: Leaster Pearson.

Désormais, ils ne se quitteront plus, du moins dans le domaine des relations extérieures!... Louis St-Laurent aide à contourner la conscription en étant un des pères de la «conscription partielle». De toute façon, cette mesure malgré qu'elle soit impopulaire au Québec ne lui nuira pas; il sera toujours réélu!... Il réussit toujours... sauf dans les relations fédérales-provinciales. En août 1945, il plaide le dossier de la péréquation. Mais il y a quelqu'un qui se fait le champion de l'autonomie provinciale, c'est Duplessis. La conférence tournera en queue de poisson...

Jusqu'à son départ en 1957, on verra cette situation classique que l'on retrouvera plus tard sous le règne de Pierre-Elliot Trudeau. Tandis qu'au fédéral, les Québécois voteront pour St-Laurent

Entre deux causes, un peu de soleil, Louis St-Laurent est venu rejoindre ses soeurs, Lora et Kathleen à la résidence estivale de la famille à Compton.

La traditionnelle photographie de famille. Les St-Laurent au grand complet. Louis à l'extrême droite va repartir en septembre à Québec où il poursuit de brillantes études. En attendant il profite de ses vacances à Compton.

La trentaine approche, la célébrité est arrivée, mais Louis St-Laurent n'oublie pas la famille et le magasin général de Compton où il a grandi.

—rouge et centraliste en diable—ils éliront Maurice Duplessis autonomiste et conservateur bon teint. Qui a dit que l'histoire ne se répète jamais?

Toujours en compagnie de Pearson, le 18 janvier 1946, Louis St-Laurent est de nouveau plongé dans une conférence fédérale-provinciale en matière fiscale. Cette fois-ci, on arrive à un compromis boiteux. Surprise! en décembre, il quitte le ministère de la Justice...

Ce n'est pas une disgrâce, c'est au contraire un avancement. Désormais il va agir de plus en plus souvent comme premier ministre par intérim lorsque Mackenzie King est souffrant, tout en restant secrétaire d'État (le sous-secrétaire étant bien entendu Pearson...).

Finalement, c'est lui le vrai patron d'Ottawa.

Entre deux conférences internationales, il lance l'opération «Terre-Neuve» pour créer une dixième province au Canada. À la vérité, au départ, l'opération ne soulève pas un enthousiasme délirant: comme on le sait, il faudra, deux référendums pour que l'affaire se fasse!

Il ne faut pas croire que du côté du Canada la joie soit délirante. Pour intégrer cette colonie anglaise, dont la Grande-Bretagne veut se débarrasser à tout prix — vu le gouffre financier que cela représente — il faut prendre en charge 180 millions de dettes. Ce qui fait hurler l'opposition!

Le futur premier ministre en 1902. Frais émoulu de l'Université Laval. Cette photographie, bien dans le style romantique d'antan, a été prise lors de la remise des diplômes de fin d'études.

C'est la main sur le coeur, que St-Laurent arrive, non sans mal, à faire passer le projet d'un océan à l'autre...

Finalement, le vieux Mackenzie King se retire. Le 7 août 1948, après une série d'hommages éperdus, le Congrès libéral choisit, sans surprise, après une élection pro-forma, Louis St-Laurent...

Mais avant que d'être premier ministre, il perd un épisode comique: la course au drapeau. L'idée d'un drapeau distinctif pour le Canada est un de ses dadas. Dès 1945, il l'avait suggéré. Donc en 1948, un comité est formé en Chambre pour étudier la question. Mais attention, on marche sur des oeufs électoraux... Donc, diplomate et voyant des élections poindre pour 1949, le comité propose... l'Union Jack!

Côté Québec, depuis longtemps, les nationalistes réclament un drapeau. Voyant le drapeau canadien poindre à l'horizon. Duplessis prend le taureau par les cornes et institue le Fleurdelisé. Ce qui fait que pour des raisons électorales mais absolument contradictoires, le Québec a un drapeau, et le Canada pas...

Ça ne fait rien: St-Laurent se rattrape. Montrant qu'il est tout autant anti-communiste que son homologue québécois, il approuve le traité de l'OTAN et signe avec les États-Unis le traité pour la canalisation du Saint-Laurent. Ce qui fait hurler Québec...

Le temps de faire une tournée dans l'Ouest,et hop, élections générales. Un succès! Il remporte cent quatre-vingt-treize sièges alors que Mackenzie n'en avait obtenu que cent vingt-cinq...

Donc offense constitutionnelle! St-Laurent, champion de l'indépendance du Canada, propose l'abolition des appels au Conseil Privé de Londres, du terme « Dominion », et la nomination d'un Canadien comme gouverneur général. Sans oublier, bien sûr, le drapeau...!

L'appétit venant en mangeant, on convoque une grande conférence fédérale-provinciale pour réformer la constitution, avec les sujets précités, et quelques autres modifications.

De nouveau il tombe sur un os. Le seul résultat qu'il obtient c'est la promesse de nommer un Canadien comme gouverneur. Quant au drapeau, chacun a le sien ou presque, et tout le monde, Québec et Ontario en tête, tient mordicus à ses droits. Il aura une consolation: le Parlement décide que le premier ministre bénéficiera d'une résidence officielle. Après tout, si les Anglais ont Downing Street on peut bien avoir Sussex Drive...

À l'extérieur cependant, il a plus de succès. On vient le voir et en France il est reçu avec faste et amitié par le président Vincent Auriol qui retrouve avec plaisir «un cousin du Canada» qui a un accent un peu anglais sur les bords. Ça ne le gêne pas; lui il a l'accent de Toulouse!

Au pays, il arrive à améliorer certaines mesures sociales... et la retraite des députés. Entre une visite à la reine du Commonwealth et une conversation sérieuse avec Einsenhower, il déclenche les élections.

Cette fois-ci, le 10 août 1953, il n'obtient que cent soixante-et-onze députés dont soixante-six du Québec...

Pas de vacances en cet été de 1921 où St-Laurent va plaider sa première cause devant le Conseil Privé de Londres.

131

Juin 1957, Madame St-Laurent, confiante dans le succès du vote, accompagne son mari aux urnes. C'est dans la nuit même que « l'oncle Louis » apprendra sa défaite. Le paradis du pouvoir vient de fermer ses portes à l'enfant chéri du Québec.

Ça ne fait rien, c'est un beau succès pour un jeune homme de soixante-et-onze ans!

C'est alors qu'en bon Québécois, il repart sur le sport national de la province, après le hockey: la constitution. Fort de sa majorité québécoise, il rencontre un champion qui en a une, aussi forte que lui.

Point de départ: l'impôt provincial que Duplessis crée én demandant à Ottawa de se retirer du champ fiscal pour 15%. Motif:«La province de Québec n'est pas une province comme les autres, dit Duplessis». «Que oui» dit St-Laurent: «les Québécois sont des Canadiens.» «Les provinces ont priorité réplique Duplessis». «Je ne suis pas un centralisateur, mais le fédéral est au-dessus de tout le monde. D'ailleurs il n'y a que le Québec qui nous tire dans les pattes». «St-Laurent m'insulte, réplique Duplessis. Jamais nous n'abdiquerons nos droits...»

Le tout, bien sûr, par discours et déclarations interposés. Finalement c'est en janvier 1955 qu'on arrive à trouver un compromis boiteux qui ne satisfera personne...

Une autre conférence fédérale-provinciale donnera lieu au même affrontement. En somme, l'année 55 annonce déjà 78...

Entre-temps, Louis St-Laurent sera le premier ministre canadien à fournir des troupes à l'ONU pour faire respecter la paix. C'est à lui aussi que l'on doit la création du Conseil des Arts ainsi que quelques mesures sociales...

Toute bonne chose a une fin, même le paradis du pouvoir: en 1957 St-Laurent qui a maintenant soixante-quinze ans, attaque avec ardeur la campagne électorale: parmi ses sujets favoris, le bilinguisme. Il parle même de deux langues nationales...

Cela flatte peut-être l'électeur québécois mais ça fait tinter les oreilles des gens outre-Outaouais, surtout qu'un certain Diefenbaker s'en vient à grands pas...

Pour la première fois, St-Laurent se fait battre: le 19 juin 1957, c'est Diefenbaker qui l'emporte d'une courte tête: cent douze députés contre cent six, vingt-cinq pour le CCF (futur NPD) et dix-neuf créditistes. Une fois encore, le Québec a soutenu son grand-père chéri «oncle Louis»...

Celui-ci s'incline devant le vote, tout en espérant que l'ami Dief va bientôt être obligé de lâcher la place...

Mais ça grogne dans le parti: dans la meute, malheur au chef vaincu! On se dit qu'après tout, St-Laurent est bien vieux. Celui-ci sentant le sol se dérober sous ses pieds, décide de prendre sa retraite. Comme cela s'était passé pour son prédécesseur, au congrès libéral du 16 janvier 1958, on couvre le vieux chef de fleurs, on le proclame (lui aussi!) le plus grand ministre canadien et... on choisit son poulain Leaster B. Pearson.

Après une activité aussi intense, Louis St-Laurent se retire...

Le malheur, c'est que dans la même année, les «neveux» se retirent aussi: le Québec votera bleu, maintenant que St-Laurent n'est plus là!

Louis St-Laurent terminera paisiblement sa vie chez lui dans les Cantons de l'Est ayant la joie secrète de voir un jeune homme de cinquante ans qui, avec un style nouveau, lui ressemble beaucoup sur le plan constitutionnel.

Et qui se retrouvera dans le même dilemme que lui: tandis que l'on vote libéral à Ottawa, on vote péquiste à Québec!

Qui a dit qu'au Québec les choses ne changent jamais?

Louis St-Laurent vient de faire connaissance avec les fastes de la royauté à Londres où il est somptueusement accueilli par le Lord Maire, pour la remise symbolique des clés de la ville. En cette année 1955, ce jeune homme de soixante-quinze ans est à son zénith.

Les électeurs de Québec Est viennent de choisir leur nouveau député. Après cette victoire du 9 février 1942, Louis St-Laurent reçoit les ovations enthousiastes de ses partisans.

LA MORT
DU « CHEUF »

« Y paraît que Monsieur Duplessis est malade... »

« Moi, j'ai su par mon beau-frère qui a des connections à la P.P. que s'il est pas mort, ça va pas fort!... »

« J'ai pour mon dire que c'est encore une baloune des maudits rouges!... »

Depuis quelques jours, les rumeurs vont bon train sur la colline parlementaire à Québec, et dans les tavernes avoisinantes. Il faut dire qu'on ne sait pas trop à quoi s'en tenir: le 2 septembre 1959, le premier ministre Maurice Duplessis est parti à Schefferville en avion, en compagnie de Jacques Bureau, son neveu-député, trois députés de Montréal: Lucien Tremblay, Maurice Custeau et Gérard Thibeault, et son « âme damnée », Gérald Martineau, le trésorier de la caisse électorale. Or, Schefferville, c'est le bout du monde dans le Nouveau-Québec.

Pour une fois, ce n'est pas une inauguration, mais une visite quasi privée répondant à une invitation faite par les dirigeants de la Québéc Iron, à voir leurs mines récemment ouvertes. On l'a assez reproché à Duplessis, cette concession! Même que les libéraux l'on accusé de vendre le pays, alors que lui voulait créer des emplois! Aussi, rien que pour faire suer l'opposition, il y est allé. Donc pas de journaliste invité. De toute façon, si c'est bon d'en parler, il n'y aura qu'à téléphoner le texte à Montréal-Matin qui le publiera!

Ce voyage, il ne devrait pas le faire: ceux qui l'ont aperçu avant son départ ont constaté que ses traits sont tirés, et qu'il a encore maigri. On chuchote même que de temps à autre, il a des « absences ». Son diabète mal soigné le fatigue. Il faudrait peut-être qu'il en fasse moins, qu'il prenne, pour une fois, des vacances.

Mais qui oserait le lui dire? Une fois qu'il a décidé quelque chose, il n'est plus « parlable », et il n'aime pas être contrarié. Avec l'âge, Maurice Duplessis est l'esclave de sa légende. Il est indestructible!

Depuis les élections du 20 juin 1956, où pour la cinquième fois, il vient d'être réélu Premier Ministre, il est au sommet de sa gloire. Pire: il a « mangé tout rond » les « rouges » à l'Assemblée Nationale, avec soixante-douze députés unionistes contre vingt libéraux, et un indépendant, le célèbre Frank Hanley, qui règne sur Montréal-Sainte-Anne. C'est le roi du Québec, couronné par l'électorat. Or, chacun sait que les rois sont omniprésents, dynamiques et pétants de santé...

Pour être franc, la dernière campagne électorale a été épuisante. On a l'âge de ses artères: celles de Duplessis ont 69 ans; elles ont beaucoup servi et, de plus, elles sont minées par le diabète. Mais plus encore qu'avant, Maurice Duplessis ne vit plus que par la politique: elle est presque une drogue qui dévore lentement sa vie...

Sa vie? Elle se passe entre son appartement au Château Frontenac et son bureau du Parlement. Encore qu'en guise de détente, enfermé dans sa suite, le soir, il écoute quelquefois des disques classiques, mais surtout il adore parler politique en fumant un cigare, le dernier plaisir qui lui reste. Ses quelques sorties? Encore la politique. Il court les inaugurations et les cérémonies, et savoure avec un plaisir quasi enfantin les hommages et les remerciements. Au besoin, discrètement, il les suscite: la reconnaissance ne doit pas être un vain mot! Quant il peut, il fait un saut à Trois-Rivières: encore la politique! On vient lui serrer la main et le solliciter à son bureau de député...

Avec l'âge, il est devenu encore un peu plus religieux. Beau temps, mauvais temps, il ne manque jamais la messe du matin du premier vendredi du mois, jour consacré à Saint-Joseph qu'il vénère particulièrement. Bien sûr, il prend ses distances vis-à-vis de la hiérarchie catholique: il la fait « manger dans le creux de sa main ».Mais depuis 56, il l'alimente bien; rien ne lui fait plus plaisir que de recevoir une lettre de remerciements d'un évêque ou de savoir que, dans un couvent, on a prié spécialement pour lui...

Depuis 2 ans, il s'est un peu courbé, et marche quelquefois avec

Un bureau et un fauteuil désormais vides d'où, pendant tant d'années s'est décidé le sort de la province.

une canne: souvent le diabète se complique d'arthrite. Sa maigreur commence à le faire ressembler à ces caricatures qui exagèrent la longueur de son nez, à dessein, car ce fameux nez a toujours été la hantise de Maurice Duplessis!

La vérité, c'est qu'il est de plus en plus autocratique. Il veut tout savoir, tout décider, même les détails doivent avoir son approbation... Il dirige ses ministres comme un maître d'école: ceux-ci, à part Paul Sauvé, vivent dans la hantise de faire des gaffes. Donc, ils en font!

Officiellement, il est dangereusement en forme. Ses fatigues subites, de temps en temps, dues à une carence de sucre sont un secret d'État dont il est rigoureusement interdit de parler. Après tout, depuis 1956, plus que jamais l'Union Nationale, c'est lui. Et lui seul! Si, hors de sa présence, quelqu'un soulève le problème de sa succession — après tout, il a 69 ans — le dauphin putatif suggéré dans la conversation a des sueurs froides! Si la rumeur se répandait, il y aurait de quoi se faire briser par le « cheuf »!

Durant l'été, au train d'enfer des inaugurations et des sorties officielles, Maurice Duplessis commence à sentir l'usure. Contre son habitude, il est obligé de se faire remplacer. On dit même qu'il aurait eu une défaillance cardiaque. Vers la fin du mois d'août, il aurait laissé échapper cette réflexion devant son valet de chambre: « Je ne verrai pas septembre... »

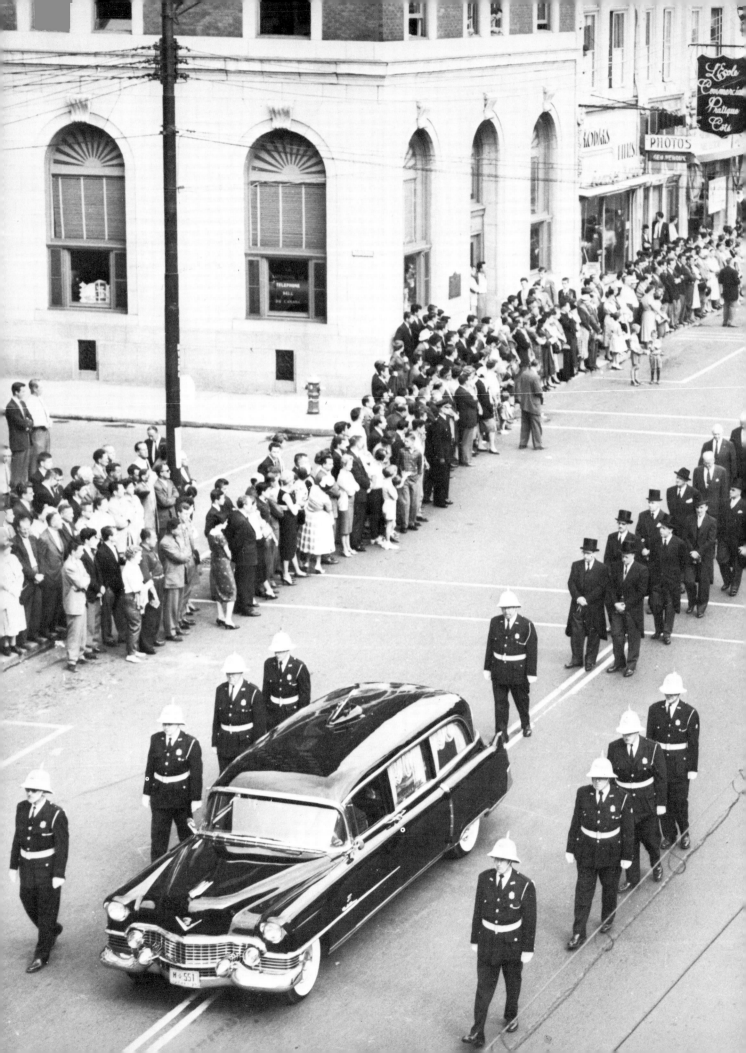

Un voyage en avion, pour un homme de son âge, est loin d'être de tout repos. Surtout qu'il ne s'agit pas d'un Boeing, mais d'un avion de tourisme. À son arrivée, après la réception et les discours de bienvenue, il ne se sent pas très bien: il ne mange presque pas.

Le lendemain, 3 septembre, tout le monde se lève tôt. Il y a une partie de pêche organisée, mais Duplessis préfère aller visiter les mines et naturellement, serrer les mains des mineurs. La politique, toujours la politique! On retourne au chalet de bonne heure, pour se reposer un peu. Duplessis reste au salon, pour regarder le paysage, en fumant un cigare; seul Maurice Custeau lui tient compagnie. Soudain, il se retourne l'air crispé et tombe foudroyé. C'est la crise, dans tous les sens du mot...

Gérald Martineau accourt: on allonge le malade sur le divan, croyant à un coma diabétique. Arrive le docteur de la compagnie, le Dr Rosmus: son verdict tombe comme la foudre, c'est une attaque de paralysie cérébrale, le côté gauche est tétanisé! Voyons donc, ça doit être une erreur. D'abord, c'est un docteur européen... En tout cas, pas un mot! Faut pas que ça se sache: on fait venir le Dr Lucien Larue, spécialiste du cerveau à l'Hôtel-Dieu de Québec. Celui-ci est formel: son confrère à raison.

Duplessis ne peut plus parler mais il est conscient, de moins en moins, il est vrai, surtout à la suite de trois attaques successives. Que faire? Garder la consigne du silence! Réflexe puéril, comme si le pont aérien entre Québec et Schefferville — alors que les députés retournent à Québec, que la parenté arrive — pouvait passer inaperçu! La rumeur commence à circuler. Journalistes, photographes et caméramen accourent. Pour comble de gaffe, devant cette affluence, on ne trouve rien de mieux que d'entourer la maison d'un cordon de policiers et d'émettre un communiqué où l'on signale que le premier ministre a une indisposition . Ses fidèles persistent à espérer contre toute logique, même si on fait venir un prêtre. La disparition de « Maurice », c'est celle de leur univers. Il ne peut pas mourir.

C'est pourtant ce qui se passe! On soutient Duplessis avec des intraveineuses, mais l'irrigation du cerveau se fait de plus en plus faiblement. Après quatre jours d'agonie, le 7 septembre vers minuit, Maurice Duplessis meurt.

Curieuse analogie: bien que de natures totalement différentes, Duplessis et Staline sont morts de la même maladie, et surtout, dans des circonstances similaires. Peut-être avaient-ils en commun le fait qu'une époque —dans leurs pays respectifs— s'était identifiée à eux; et aussi, cette autorité répétitive que donne la possession tranquille de la vérité indiscutable pour celui qui la détient.

C'était la mort du père: lorsque l'on expose son corps au Parlement avant les funérailles nationales, ceux qui pleuraient le plus étaient souvent ses ennemis de la veille, qui l'avaient tant haï. Avec lui disparaissaient les luttes de leur jeunesse et une sorte de référence nationale grâce à laquelle on se définissait. Un dictateur, c'est indéniable. Mais sa mort apportait l'incertitude, même dans l'espoir.

Cet homme, qui avait bâti sa puissance sur le patronage et les pots-de-vin pour ses campagnes électorales, —car même s'il feignait de l'ignorer, il était parfaitement au courant—, cet homme qui avait laissé s'enrichir certains membres de son entourage grâce au gouvernement, est mort pauvre. Jusqu'au dernier instant, il est resté d'une intégrité remarquable.

Lui qui méprisait, comme il disait, « les poètes », c'est-à-dire les « gens à idées » ou les philosophes, était un être nietzchéen: sa seule fortune était sa passion du pouvoir!

Lui qui rognait sur toutes les dépenses publiques, qui, à ses yeux, sortaient de la routine ou risquaient de créer de dangereux précédents financiers, lui qui se faisait une gloire d'avoir des budgets excédentaires pour la province —comme le gérant du restaurant du coin— n'avait aucun sens de l'argent en ce qui le concernait. Pingre quelquefois pour les deniers de l'État, il était d'une folle prodigalité pour les siens, et une grande part de son argent partait en dons de toutes sortes.

Il laissa à la Province une collection de tableaux —dont une bonne partie n'avait d'autre valeur que celle de lui avoir appartenu! — et une dette personnelle de $42,000 à la Banque Provinciale qui avait été garantie par Gérald Martineau. Elle fut payée par des amis qui, en souvenir de lui, se cotisèrent pour la racheter!

LES CENT JOURS DE PAUL SAUVÉ

Le roi est mort, vive le roi! En cette fin de soirée du 10 septembre 1959, alors que les funérailles de Maurice Duplessis viennent à peine de se terminer, en voyant passer les ministres et les éminences grises du régime, encore de noir vêtus et la mine endeuillée, tout le monde sait d'avance quel va être le résultat du conseil des ministres qui va se réunir pour se donner un nouveau chef. Il n'y a pas de suspens: il s'appelle Paul Sauvé... et la rue discute:

— Qui d'autre d'ailleurs pourrait prétendre à l'héritage?

— Parmi les outsiders, le petit Daniel Johnson que le chef aimait bien? Mais il est encore jeune... Quant à Talbot, vous n'y pensez pas! C'est encore un coup à faire partir la chicane entre la gang de Montréal et la gang de Québec!... On aurait bien besoin de ça!

— Depuis quelques mois, Duplessis se faisait fréquemment remplacer par Paul Sauvé, lorsqu'il était fatigué. C'est un signe, non?

— Bien sûr, il a bien dit, le chef, il y a quelques années « Quel dommage que Paul soit aussi paresseux! Intelligent comme il est, il ferait un bon premier ministre ». Mais vous remarquerez qu'il n'a jamais fait d'allusion du genre, pour qui que ce soit d'autre. Mort ou non, les désirs du chef sont des ordres! »

— Sauvé, c'est un des pionniers du parti! Depuis 1930 qu'il est aux côtés de Duplessis! Même l'année où on a ramassé la claque, en 1939, il s'est fait réélire, dans Deux-Montagnes, haut la main, comme le chef! Depuis 1946 qu'il est ministre du Bien-être et de la Jeunesse!

En juin 1951 à l'université Bishop's de Lennoxville, Paul Sauvé reçoit un diplôme honorifique pour son intense travail dans le domaine de l'éducation.

— Enfin, c'est pas pour dire du mal des autres, mais Paul Sauvé c'est un maudit bon orateur. En plus de ça, il est populaire et pas mêlé trop trop dans les affaires de patronage que les rouges mettent sur le dos du gouvernement. Or les élections, c'est pour l'année prochaine... »

— Justement, depuis quelques temps, il faut bien avouer que l'Union Nationale commence à en perdre. Le coup du scandale du Gaz Naturel, les claques qu'on a prises avec la Cour Suprême à propos des Témoins de Jéhovah et Roncarelli, pis de la loi du Cadenas qu'ils sont arrivés à déclarer « ultra-vires », le coup des subventions aux Universités où le chef a laissé passer 24 millions, ben tout ça, même si Maurice ne s'en aperçoit pas, ça commence à sentir le roussi. Tandis qu'avec Paul qui a la réputation d'avoir l'esprit ouvert, on va pouvoir lâcher du lest. Aux prochaines élections, l'affaire est dans le sac: on est bons au moins pour quatre ans encore...

— Ça y est, c'est lui... félicitations monsieur le premier ministre pour votre nomination!

Grand mais la taille un peu voutée par l'âge, pourtant beau, le regard à la fois un peu lourd et doux, la moustache en balai soigneusement taillée, toujours vêtu avec l'élégance naturelle des gens à qui tout va, Paul Sauvé a l'air de ce qu'il est: un aristocrate de la politique québécoise.

Aristocrate? il l'est assurément. Dans sa famille, on naît à l'aise,

144

conservateur et politicien, donc futur député. N'est-il pas le fils d'Arthur Sauvé qui fut, pendant onze ans, chef du parti conservateur provincial du Québec, avant de devenir ministre fédéral?

D'ailleurs, chez les notables québécois, la députation est presque héréditaire. Maurice Duplessis n'est-il pas le fils de Nérée Duplessis qui fut député avant d'être juge? Quant à (Jean)-Paul Sauvé, après avoir été nommé avocat, selon la procédure classique, élu pour la première fois à l'âge de 23 ans en 1930, son arrivée en Chambre a donné lieu à une scène familiale bien touchante. Le jour de sa présentation à la Chambre, en même temps qu'un jeune libéral, tout aussi frais élu, on avait assis à la droite du président, papa Arthur par faveur spéciale. Quant à son collègue libéral, ce n'était autre que Robert Taschereau, fils du premier ministre d'alors Alexandre Taschereau!

Rapidement, Paul Sauvé se lie avec Maurice Duplessis qui est déjà la vedette des conservateurs. Aussi, lorsque Camilien Houde —celui qui a fauché la place à papa — se fait battre dans une élection en 1932, s'il ne pousse pas à la roue pour le faire partir, lors de la convention de Sherbrooke qui remplace Houde par Duplessis, il est un des premiers à lui apporter son support. Ce qui n'est pas rien! Les Sauvé, c'est la dynastie du parti; cela signifie aussi que papa est d'accord à Ottawa!

Très rapidement, Paul Sauvé passera pour un des fidèles inconditionnels de Duplessis. Pourtant les deux hommes ne se ressemblent guère. Au côté populiste de Duplessis, à sa rage de travail, son habileté à convaincre, s'oppose nettement le côté intellectuel, voire érudit, de Paul Sauvé qui passe pour un peu mou; il prend trop de temps à réfléchir! Ce qui explique, sans doute, le respect que lui porte Duplessis, attitude qu'il n'a pas avec tous ses autres lieutenants! Comme le disait si bien un sénateur d'Ottawa: « Il y a trois sortes de ministres autour de Duplessis; ceux qui disent « Oui Maurice », ceux qui disent « Oui chef » et... Paul Sauvé! » lequel disait « chef » tout court...

Ce côté diplomatique de sa personne lui permet d'être celui que l'on envoie à l'extérieur, pour arrondir les angles, et qui, doucement, manifeste certaines objections au chef, à l'intérieur. Mais ça ne va pas plus loin.

Lorsque l'Union Nationale sera devenue un parti, et que Duplessis aura dévoré l'Alliance Libérale Nationale, c'est tout naturellement que Paul Sauvé deviendra président de la Chambre. Il a l'élégance et le physique de l'emploi. De plus, on est assurés d'une

Le brigadier Guy Gauvreau, et Paul Sauvé avec le colonel Dollard Ménard viennent participer à la libération de la France dans les rangs des Fusiliers du Mont-Royal.

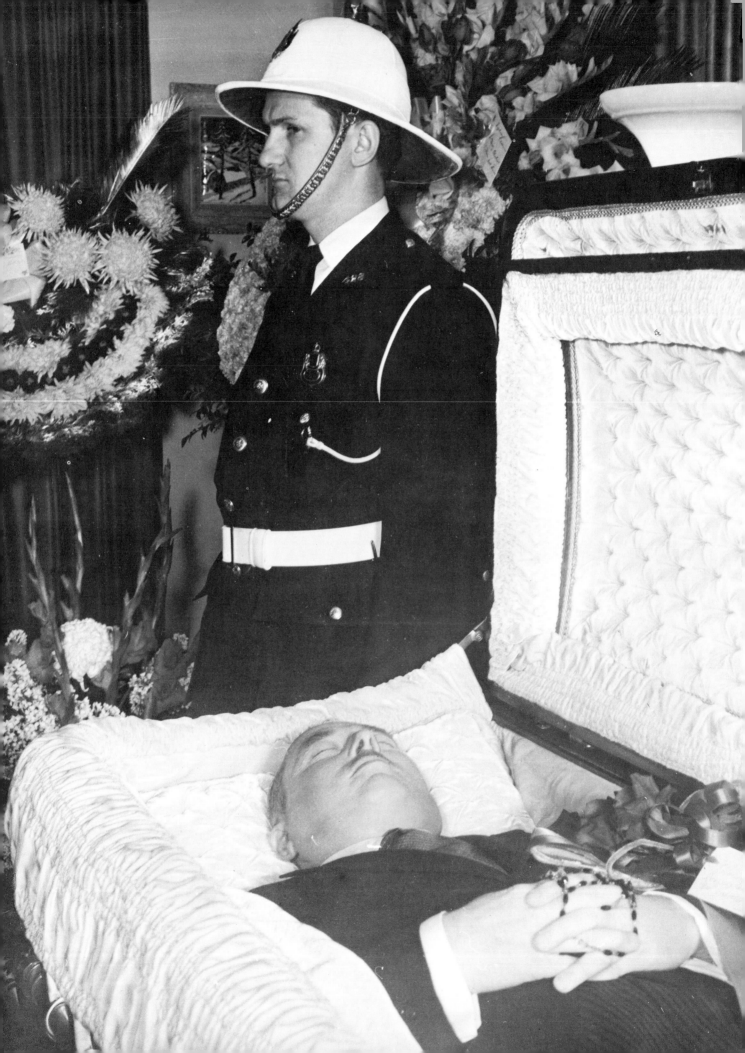

*Ernest Gohier, Mgr Émilien Fre-
nette et le maire Fournier
entourent le Premier ministre et
madame Paul Sauvé — venus
inaugurer l'autoroute Montréal-
Saint-Jérôme.*

grande stabilité: depuis 1930, il est réélu avec la régularité d'une horloge par les électeurs de son comté... Même en 1939 où, faisant pour une fois une gaffe politique, Duplessis a eu la malheureuse idée de déclencher des élections anticipées, en faisant campagne contre la conscription.

L'Union nationale battue, la guerre arrive et Paul Sauvé s'engage volontairement dans l'armée. Position assez singulière pour un député qui a fait sa campagne contre la mobilisation! En fait il prend ses distances...

C'est alors que survient un incident: ni plus, ni moins qu'une tentative de putsch contre Duplessis à l'intérieur même du parti: malheur aux vaincus! On reproche à Duplessis de boire, de faire « la vie » et on organise une cabale pour mettre Paul Sauvé à la tête du parti.

Mais Duplessis contre la manoeuvre: de toute façon, Paul Sauvé, qui est en période d'entraînement au camp de Farnham, jure tous ses grands dieux qu'il n'est au courant de rien, et qu'il soutient Duplessis...

Est-ce vrai, est-ce faux? Mystère. Ce qui est possible, c'est que Paul Sauvé ait été au courant de la manœuvre qui s'est conçue sans lui, mais qu'il n'ait rien fait pour l'empêcher...

De toute façon, il part se battre en Europe avec les Fusilliers Mont-Royal, parvient même à se faire réélire à distance en 1944 et revient brigadier, constellé de décorations gagnées au feu, en 1945!

Parti en 1940, le lieutenant-colonel Paul Sauvé revient couvert de gloire après cinq ans d'absence. Famille et amis l'accueillent à son arrivée.

Duplessis le laisse simple député pendant deux ans: une séquelle sans doute du « putsch » raté. Mais le 18 septembre 1946, il crée un nouveau ministère pour lui: le ministère du Bien-Être et de la Jeunesse...

Un ministère sympathique, puisque c'est en son nom que l'on donne les subventions aux écoles, ainsi qu'aux oeuvres de bienfaisance. Du reste, Paul Sauvé s'en occupe: il crée l'enseignement professionnel; il a beaucoup d'idées mais elles sont limitées au bon vouloir du chef, auprès duquel cependant il plaide ses causes avec talent: c'est un merveilleux orateur...

Avec ses titres militaires et son allure, il est l'image parfaite du gentleman canadien-français, tel qu'on l'imagine du côté anglais. Aussi, dans les relations fédérales-provinciales qui se jouent souvent entre Québec et Ottawa sur le modèle « le bon, la brute et le méchant » c'est lui qui joue le rôle du bon, et qui est chargé de rétablir les contacts, après les escarmouches...

Enfin auréolé de vertus dans un gouvernement à qui on attribue tous les vices du patronage, Paul Sauvé est la terreur des libéraux qui regrettent bien qu'il ne soit pas un des leurs, tant sur certains aspects, il leur ressemble! Député à vie, ce formidable orateur est une arme redoutable en période d'élections, qu'elles soient générales ou partielles. Un comté semble-t-il menacé? On envoie Paul Sauvé qui impressionne beaucoup l'électeur moyen, fut-il rouge...

Avec le temps, Duplessis qui ne se gêne pas à l'occasion pour faire sur ses ministres des déclarations saugrenues et même pittoresques, s'aperçoit qu'il n'y en a qu'un qu'il ne gendarme pas: Paul Sauvé. Encore que celui-ci l'étonne par ses manières flegmatiques et son franc-parler, nuancé de diplomatie: ce qu'il prend pour de la paresse n'est souvent que de la réflexion. Au contraire de son chef, Paul Sauvé n'improvise pas. De plus, un gentleman ne se laisse pas aller à des démonstrations tapageuses! Enfin, presque jamais...

Il n'est pas étonnant que le dauphin se révèle — du moins aux yeux de l'entourage — par le consentement tacite de Duplessis, et que le 11 septembre 1959, celui-ci se retrouve premier ministre...

Le jour même de son assermentation, Paul Sauvé crée un choc et un slogan « Désormais » ... En guise de joyeux avènement, il annonce que le gouvernement versera 4% des intérêts sur les emprunts que font les municipalités pour construire des égouts et des aqueducs; il reconduit une entente avec le fédéral pour aider ces dernières à combattre le chômage, et il annonce qu'il se rendra à la conférence fédérale-provinciale sur la fiscalité le 15 octobre...

Le règne Duplessis est achevé; un nouvel homme prend la relève: Paul Sauvé.

L'honorable Paul Sauvé, sa femme et ses trois enfants: Luce-Paule, Pierre et Ginette, réunis pour un simple portrait de famille devant l'église Saint-Eustache.

Laquelle ne donnera pas de résultats spectaculaires, vu qu'Ottawa entonne le refrain bien connu « pas un sou aux provinces ». Paul Sauvé se met à reparler d'autonomie. Mais en fait, dans les couloirs, on cherche à voir s'il n'y a pas moyen de moyenner. Finalement on trouve un compromis qui permet à Québec de récupérer l'argent pour les universités (les vingt-quatre millions) sans perdre la face...

Le 28 octobre, il annonce des augmentations de salaire pour les fonctionnaires provinciaux, à partir du 1er novembre, puis une amélioration des lois ouvrières. Enfin le 11 novembre une hausse du salaire minimum...

Non seulement ces propos étonnent, mais ils coupent l'herbe sous les pieds de l'opposition et en particulier des libéraux. Lorsque la session reprend, le 18 novembre, avec une déclaration de foi autonomiste, les projets de loi sont déposés. Même mieux, il annonce qu'il va accorder des subventions plus fournies aux écoles...

Cela sent les élections, bien sûr, mais le vent se remet à tourner en faveur de l'Union Nationale. Comme dit l'un des grands organisateurs du parti « Avec lui, l'affaire est ketchup! »

Impression qui se confirme lorsqu'au début décembre, il fait passer une loi touchant le mode d'élection, en mettant deux énumérateurs au lieu d'un. Au grand dam des stratèges unionistes qui trouvent que, là, il en fait un peu trop: c'est leur enlever un moyen efficace de contrôler l'électeur...

Noël arrive. Tout le monde pense que Paul Sauvé, à la rentrée, va annoncer la date des élections. Politiquement c'est le calme plat de l'armistice des réveillons...

Aussi le tonnerre s'abat sur la province, quand le 2 janvier 1960, par les postes de radio (il n'y a pas de journaux ce jour-là), on apprend que Paul Sauvé est mort, chez lui à Sainte-Félicie, d'une crise cardiaque...

L'Union Nationale elle aussi, a eu son coup de mort: deux chefs en l'espace de 112 jours c'est trop pour un parti surtout quand celui-ci est au pouvoir...

Demain, « désormais » se dira, « il est temps que ça change... ».

LA MORT
DES TRAMWAYS

Il n'y a pas tout à fait un siècle que le transport urbain existe à Montréal. C'est en effet le 18 mai 1861 qu'un décret de l'Assemblée Législative du Canada fonde la «Montreal City Passenger Railway Company». Reste à poser les rails.

Vite fait, bien fait, la première ligne est achevée dès le 26 novembre 1861. Ce jour-là, grande cérémonie d'inauguration: les dirigeants de la société invitent les notables de la ville à visiter leurs écuries. Puis tout le monde fait un petit tour en tramway, hippomobile bien entendu, histoire de s'ouvrir l'appétit avant d'aller au Saint Lawrence Hall, le rendez-vous des fines bouches de l'époque, boire et manger à la longue vie des tramways.

Protestations violentes, mais vaines, des propriétaires et des conducteurs de voitures de louage, dont le commerce périclite: la population est enthousiaste et le réseau ne cesse de s'étendre. En 1889 la compagnie, devenue la «Montreal Street Railway Company», possède 1000 chevaux, 150 wagons, 104 traîneaux et 49 omnibus. Une vive polémique à propos de l'éventuelle électrification du réseau divise les actionnaires. Cette fois encore, le progrès aura raison de toutes les craintes: le premier tramway électrique, le «Rocket» est mis sur rails le 21 septembre 1892. La même année, apparaissent les correspondances imprimées. Jusque-là, elles étaient surtout affaire de confiance. Tout au début, on payait cinq cents autant de fois qu'on changeait de véhicule. Puis l'idée des correspondances gratuites s'était peu à peu imposée, mais il s'agissait simplement d'un accord verbal entre les passagers et le conducteur...

L'hiver, la neige pose quelques problèmes, mais avec un peu

Le tram réservé aux officiels de la «Montreal Street Railway» effectue un parcours de reconnaissance sur le trajet de Cartierville en 1917. Il y a trois ans déjà que les wagons circulent par paire.

La rue Côté en 1861, est desservie par le tramway d'hiver. Conducteur et contrôleur malgré leurs longs manteaux de loup ne doivent pas se recruter parmi les frileux.

d'imagination et beaucoup de travail, on s'en sort. En moins de deux ans, tout le réseau sera électrifié. Le dernier tramway hippomobile est retiré de la circulation dès octobre 1894. Le cheval prend sa retraite. Quant aux véhicules, on les verra encore pendant quelques années, à la remorque des nouveaux trams électriques.

Le nombre de voyageurs ne cesse d'augmenter. Il passe de deux millions en 1868, à 43 millions en 1900. Aux heures d'affluence, le contrôleur qui est chargé de percevoir les tickets d'un bout à l'autre du véhicule n'a pas la tâche facile! 1905 sera une année néfaste pour les resquilleurs. Certains iront même jusqu'à protester: la compagnie vient de mettre au point un système de perception des titres de transport à l'entrée!

En 1911, les diverses compagnies de transport en commun de l'Ile de Montréal se regroupent sous le nom de «Montreal Tramways

Company ». Huit ans plus tard, la nouvelle société met en service ses premiers autobus. Cependant, il faudra encore attendre la dépression économique des années trente pour que cet autre mode de transport urbain s'impose parce que son exploitation est moins coûteuse. En 1937, les premiers trolleybus font leur apparition. L'existence des tramways commence à être menacée, mais avec les années difficiles de la guerre et de l'après-guerre, ils vont bénéficier d'un long sursis. En 1950, l'Assemblée législative de la province de Québec fonde la Commission de Transport de Montréal. Un an plus tard, celle-ci est propriétaire et responsable des transports en commun de la région métropolitaine. Sa première tâche sera de moderniser le réseau urbain et de substituer peu à peu l'autobus au tramway.

Mais l'histoire des tramways, c'est aussi l'histoire d'accidents mémorables...

Lundi 26 mars 1955. 10h30. Le petit tram de la ligne Notre-Dame va son bonhomme de chemin, emportant vers l'est de la métropole une trentaine de passagers. Soudain, il quitte la voie, sans crier gare! Un essieu s'est brisé. La voiture gît en travers des rails, le nez dans le tramway qui arrivait au même instant dans l'autre sens, et l'arrière fiché dans un poteau télégraphique. Seize personnes souffrent de contusions. Mais, finalement, il y a eu plus de peur que de mal et le trafic sera rétabli dès 11h40.

Vendredi 4 mai 1956. 11h30. Lucien Bourgeois descend la rue Atwater au volant d'un camion de quinze tonnes. En bas de la

Le fameux « Rocket », premier tramway électrique, modèle du printemps 1892, est doté d'un original système de chauffage. Le velours des banquettes en fait un tramway super luxe qui circule tout au long de la rue Ste-Catherine.

La rue St-Jacques est déjà en 1910, le domaine du haut négoce. Les canotiers fleurissent, mais les dames ne sont pas légion.

côte, le tramway de la rue Sherbrooke apparaît. Lucien Bourgeois veut ralentir. Rien. Ses freins ne répondent plus! Le conducteur du tram, Roma Léger, voit le mastodonte emballé foncer sur lui. Il accélère pour libérer le passage. Trop tard! Le camion accroche l'arrière du tram et le projette à une dizaine de mètres de ses rails. La violence du choc est telle que des banquettes sont arrachées et les passagers propulsés contre les parois. Sous la pluie, on sort les blessés dehors. Certains semblent sérieusement atteints, mais tous respirent. Roma Léger soupire. Il a réussi à éviter un véritable carnage! Une équipe d'urgence arrivée aussitôt sur les lieux constate que le tramway est totalement irrécupérable. Ce n'est qu'à une heure du matin, à l'aide de plusieurs grues géantes, qu'on pourra enlever la carcasse lourde de neuf tonnes. «C'est la première fois qu'on est obligé de transporter tout un tram au rebut à la suite d'un accident!» déclare Guillaume Lagacé, surintendant du transport.

Dimanche 30 août 1959. Depuis le début de l'après-midi, plus de vingt mille personnes attendent le long de la ligne Papineau-Rosement. On a sorti des chaises, des postes de radio, etc. Des pique-niques s'improvisent sur le trottoir. «Ce n'est pas la première fois le tramway est en retard, mais ce sera bien la dernière!» La municipalité et la Commission des Transports de Montréal ont préparé le plus joyeux des cortèges funéraires: on ne

La navette balayeuse de Québec a eu ses heures de gloire au début du siècle. Elle fait partie, maintenant, des souvenirs nostalgiques du passé.

Une barricade involontaire, un tramway de Québec a choisi la liberté et abandonné ses rails. Aucune victime, les voyageurs en ont été quitte pour la peur.

L'inauguration de la ligne Sher-brooke et Girouard se fait dans une ambiance de fête familiale où on étrenne le premier chapeau de ce printemps 1901.

verra ni le tramway-corbillard tout vêtu de noir avec ses vitres masquées de blanc, qui menait les morts au cimetière de Pointe-aux-Trembles, ni le tramway blindé qui faisait office de « panier à salade » de la prison de Bordeaux au Palais de Justice de la rue Notre-Dame. Ni larmes, ni regrets! En tête vient, tout pimpant de reprendre du service, le premier tramway électrique de Montréal, « Rocket », une relique du passé unique en Amérique du Nord. Il est suivi par des modèles plus récents, dont certains découverts, à bord desquels prennent place les dignitaires montréalais et des figurants et figurantes en habits de la belle époque et des années glorieuses du tramway! C'est avec plus de dix minutes de retard que le cortège s'ébranle enfin. Pour plus d'un spectateur au sourire ridé, c'est l'occasion d'un petit voyage dans le passé. Les souvenirs défilent: certains se revoient jeunes et fringants aidant une jeunesse qui allait s'empêtrer dans ses jupons en sautant du marche-pied, certaines, les yeux brillants, oublient leurs cheveux blancs et leur taille moins fine... C'était le bon temps! Le petit tram passe. Tranquillement, sans se presser, à six milles à l'heure, il fait son entrée dans l'histoire. Alors le ciel y va de sa petite larme... Il pleure à boire debout! Et voilà les beaux messieurs en habit et chapeau claque, tout ruisselants, et les belles dames

*L'autopsie d'un carrefour, celui de
Ste-Catherine et Guy en 1947, Le
« char observatoire » continue sa
route touristique sans changer d'un
pouce son itinéraire. Cet éventre-
ment urbain est un supplément
gratuit à la visite guidée.*

*D'impressionnants bûchers donnent
le signal de l'agonie des vieux
tramways. Elle va durer trois jours.
Le dimanche, 1er septembre 1959,
commencera à Montréal le règne
des autobus.*

Le dernier voyage du condamné à mort. Un des petits-fils du tramway de 1802, est transporté vers son ultime destination, le cimetière de la ferraille.

Ce chauffeur de trolley-bus vient de faire connaissance avec la violence. Quelques usagers mécontents des prix ont eu la main lourde en ce mois de décembre 1955.

C'est en 1919 que deux autobus sont mis en service. Ces ancêtres de nos modernes voitures sont l'amorce de ce qui formera plus tard la flotte de la CTCUM.

enrubannées, dégoulinantes, qui renoncent au charme du voyage à ciel ouvert pour s'entasser dans les voitures couvertes. Les curieux s'éparpillent comme par enchantement. On en retrouve quelques-uns, ici et là, agglutinés au pied d'un arbre, mais il y a finalement fort peu de spectateurs à l'ultime terminus, aux ateliers Mont-Royal, d'où les tramways ne ressortiront plus que pour être conduits à leur cimetière d'Youville.

La page est tournée. Le tramway était peut-être charmant, mais il n'était plus fonctionnel dans une ville où la circulation automobile s'est considérablement accrue, et où la population atteint près de deux millions! Progressivement, la CTM lui a substitué un réseau d'autobus, plus pratique, plus souple, et elle envisage la mise en place d'un nouveau système de transport en commun... Lorsque le maire de Montréal, Sarto Fournier, déclare à l'issue de la cérémonie: « La petite histoire, celle des tramways, est révolue: nous entrons désormais dans la grande et c'est en termes plus vastes qu'il faut maintenant penser, » tout le monde songe au métro.

Mécontents de la hausse des tarifs de la Commission des Transports, les étudiants de l'université de Montréal partis de la Côte Ste-Catherine organisent une marche de protestation jusqu'à l'Hôtel de Ville.

En 1912, juste devant les élégantes et modernes colonnades de la gare Bonaventure, se terminent les travaux de rénovation de l'inter-section St-Jacques et Windsor. Un parcours bien connu du monde des affaires.

LA LONGUE MARCHE DE JEAN LESAGE

Il est temps que ça change!...Jamais slogan électoral ne fut autant tenu! Mais en ce soir du 22 juin 1960, tandis qu'il savoure l'ivresse de la victoire au club de la Réforme à Montréal, Jean Lesage pouvait-il s'en douter?

Il a de quoi être fier: battre l'Union Nationale qui règne depuis 15 ans, c'est une manière d'exploit. Certes, l'événement l'a aidé. Après la mort de Duplessis en 1959, qui était presque à lui tout seul l'Union Nationale, Paul Sauvé son lieutenant et successeur meurt au bout de cent jours, le temps d'un « désormais ». Quant au troisième chef, issu d'un compromis, Antonio Barette, « l'homme à la boîte à lunch », ex-ministre du Travail et « yes man » de Duplessis, sa bonne volonté ne faisait pas le poids. N'empêche! Jean Lesage est l'homme du moment. Ce brillant avocat a le nez politique: ancien ministre de Saint-Laurent, il a quitté Ottawa (ce qui lui vaut le titre de « parachuté ») au bon moment, pensant qu'il valait mieux essayer d'être le premier au Québec que l'éternel second à Ottawa...

Août 1951. Jean Lesage assiste au Conseil économique des Nations Unies, comme président de la délégation canadienne.

C'est un tribun qui use de sa voix ronde avec maestria. Face à la foule, il joue d'oreille, passant du ton feutré de la confidence au tonnerre de l'accusation. Il a le sens de la formule, de la phrase qui fait date. Quelquefois, bien malgré lui, l'éloquence l'emporte! C'est un charmeur...

Robuste, sans être obèse, il est bien en chair. Il fait prospère et porte beau. C'est un « Monsieur », élégant de naissance, qui vous met à l'aise avec ses yeux de chat et son sourire irrésistible. Futur « *plus bel homme du Canada* » consacré par l'émission de Lise Payette, il plaît aux femmes et il le sait. D'ailleurs sa dernière apparition à la télévision avant le vote, ne l'a-t-il pas commencée par... *Mesdames*?

Hiver 1914. Jean Lesage vient d'avoir deux ans.

D'ailleurs sa dernière apparition à la télévision avant le vote, ne l'a-t-il pas commencée par... *Mesdames*?

Le père de ce que l'on appellera la Révolution tranquille (à tort ou à raison) est le premier homme politique québécois qui aura le sens de « l'image » et qui s'en servira à la télévision. Avec lui, l'État-spectacle arrive enfin au Québec.

Autre point pour lui, il sait choisir ses hommes. Ce jour-là, c'est le triomphe des trois « *L* ». L pour Lapalme Georges-Émile, l'ancien chef du parti, qu'il a remplacé, mais qu'il a gardé habilement auprès de lui. C'est la continuité du parti libéral, l'intellectuel disert de la bourgeoisie d'Outremont devenu un perdant. L'autre L, la « gauche », c'est René Lévesque. Lui, avec sa cigarette qui pend, sa voix éraillée, son débraillé artiste reste celui à qui on prête de noirs desseins « communisses ». René Lévesque est l'enfant chéri de la télévision.

Derrière Jean Lesage, des hommes de valeur: Paul Gérin-Lajoie, élégant et sérieux, subtil et politique. Eric Kierans qui charge un peu son côté irlandais mais dissimule un économiste têtu aux idées d'avant-garde; et bien d'autres qui seront d'un précieux secours. Qui choisir entre Lionel Bertrand ou Bona Arsenault qui ont gardé leur comté contre vents et marées duplessistes, ou Émilien Lafrance, pourfendeur de l'alcool sous toutes ses formes?

« Une équipe du tonnerre », dit Jean Lesage qui a le sens de la formule, faculté qui souvent risquera de se retourner contre lui. La preuve: ayant lancé cette devise pendant la campagne électorale, l'Union Nationale s'empresse de dénoncer les « crypto-communistes » qui en font partie. C'est presque de bonne guerre, au Québec: le « communisse » est électoralement rentable.

Du coup, le parti libéral a l'idée saugrenue de publier une liste qui prouve que chacun de ses candidats (et quelquefois par la cuisse gauche) a un religieux dans sa famille. L'équipe est alors rebaptisée « L'équipe du tonnerre de Dieu » par les humoristes... Jean Lesage se met au travail immédiatement. Le jour de la fête de son assermentation, le 6 juillet 1960, il déclare: « C'est plus qu'un changement de gouvernement, c'est un changement de vie. » Il ne croyait pas si bien dire...

Pendant six ans, il connaîtra le paradoxe du pouvoir. Voulant faire une réforme, il fit, et souvent malgré lui, quelque chose qui ressemblait à une révolution. Dix-neuf jours après son élection, il va au feu dans une conférence fédérale-provinciale où, surprise, lui le « parachuté » d'Ottawa tient un langage que n'aurait pas désavoué Duplessis.

Le voilà devenu autonomiste en diable. Il réclame non seulement de l'argent, mais encore, des pouvoirs. Nourri dans le sérail fédéral, il en connaît les détours et revient les mains pleines. Plus tard, en octobre, par le biais de Paul Gérin-Lajoie, qui porte le beau titre de ministre de la Jeunesse, il en obtiendra plus encore.

Tout était à faire mais tout allait trop vite. Au moment où il met sur pied l'assurance-hospitalisation, il a un autre « mot » qui fera mouche: *l'État québécois.*

C'est ce sens de l'État qui lui fera déclencher un processus irréversible, prémonitoire du 15 novembre 1976. Tour à tour, il crée un ministère des Affaires culturelles (2 mars 1961), un ministère des Affaires gouvernementales et la Maison du Québec

Toute l'élégance des communiants d'antan dans cette photographie d'Albert Dumas, photographe rue Sainte-Catherine en 1918.

Que sont-ils devenus ces garçons sages de Saint-Louis de Gonzague de l'été 1922?·

à Paris, rue Barbey-de-Jouy. Et c'est quasiment un chef d'État qui est reçu par le général de Gaulle le 8 octobre 1961. Un voyage que la presse d'outre-mer commentera plus que favorablement. En parlant de diversifier les capitaux, en signant des accords culturels, il inaugure un processus nationaliste —« prendre ses affaires en main »— dont il ne pourra pas contrôler le contenu. Mais *sa* grande idée, *son* grand succès, c'est de nommer le 28 mars René Lévesque ministre des Richesses naturelles. Il déclenche là l'opération la plus marquante de son règne: la bataille de l'électricité...

Le 22 juin 1960, le leader du Parti Libéral n'est qu'un électeur parmi les autres.

Le lendemain, c'est un Premier ministre qui vient partager sa joie avec ses parents à Québec dans la haute-ville.

La nationalisation de l'électricité n'était pas en soi une idée neuve ni même révolutionnaire. Après tout, c'était depuis longtemps un fait accompli en Ontario. De plus, dès 1936, sous la pression du docteur Hamel, Duplessis en avait fait une de ses promesses électorales jamais tenue. Néanmoins, tout comme le monstre du Loch-Ness réapparaît dans les périodes où les événements se font rares, le spectre de la nationalisation, lui, faisait un petit tour en période électorale puis disparaissait à nouveau. Jean Lesage en était-il vraiment partisan? Certes l'homme d'État y était favorable, mais le politicien s'en méfiait. Après tout, les hommes et les compagnies, telle la Shawinigan Light Power, qui possédaient les barrages, avaient toujours été de gros bailleurs de fond. Bien sûr, avec l'enquête Salvas provoquée par la pression populaire, on avait dénoncé le patronage et les caisses électorales noires. Il n'en restait pas moins qu'on ne fait pas des élections avec des prières...

Or la députation gouvernementale était loin d'être unie sur la question! Si René Lévesque poussait à la roue, d'autres étaient carrément contre. À tel point qu'à l'issue d'une retraite fermée, au *Lac-à-l'épaule*, on décida de faire une élection sur ce thème.

166

Pourtant, une fois convaincu, Jean Lesage retrouve sa fougue et son charisme. Il mène la campagne électorale tambour battant en compagnie de René Lévesque et d'Éric Kierans, écrasant — dans un duel télévisé fameux — Daniel Johnson qui venait de prendre la relève de l'Union Nationale. Au cours de la campagne, il invente une autre formule presque magique: *Maître chez nous.* Résultat? Un triomphe! Le 24 novembre 1962, il fait élire sur ce thème 62 députés. Onze de plus qu'en 1960. Une majorité qui lui permettra de mener à bien la nationalisation au printemps 1963.

Mais c'est le début du déclin... Au Québec, la révolution *tranquille* l'est de moins en moins. L'enthousiasme et le provincialisme de Lesage ont déclenché des forces imprévisibles: la montée du RIN et du mouvement indépendantiste, qui ne peuvent s'exprimer dans l'Assemblée, fait que l'opposition est dans la rue. Manifestations publiques, naissance du FLQ à rebondissements multiples, sont autant d'événements qu'il n'avait pas prévus. Pour lui, ce sont seulement troubles temporaires ou faits divers que corrige son ministre de la Justice, Claude Wagner, voix de velours mais main de fer.

Jean Lesage est un homme d'ordre! Le changement, oui, mais uniquement dans la continuité. Or, c'est maintenant l'inverse qui se produit. Et, de jour en jour, les événements semblent prendre un malin plaisir à l'entraîner à contre-courant.

Hélas, matraquages et répression ne font qu'empirer les choses; car ce qui est criminel pour ces hommes d'ordre est conçu comme uniquement politique par une partie de la jeunesse et de l'intelligentsia où Lesage avait pourtant recruté ses plus chauds partisans. C'est aussi la renaissance d'un syndicalisme presque relégué dans les catacombes du temps de Duplessis, surtout dans la fonction publique. Jean Lesage aura un mot superbe et pourtant malheureux: « La reine ne négocie pas avec ses sujets ». Pourtant, cette fois-ci, la pauvre reine devra négocier par la force des choses...

Conscient qu'il faut améliorer l'éducation, Jean Lesage veut y faire porter ses efforts pour former des cadres, mais dans le contexte existant. Or le public ne veut pas d'amélioration, mais un changement. Et c'est en 1962 que Jean Lesage déclarera à Sherbrooke: « Jamais l'État québécois n'enlèvera l'éducation à l'Église. »

Jamais? À la suite du rapport de la commission Parent sur l'éducation, qu'il a créée le 21 avril 1961, il sera bien obligé de créer un ministère de l'Éducation le 19 mars 1964, dont le premier titulaire sera Paul Gérin-Lajoie.

Désormais, il va être emporté dans un mouvement de balancier qu'il ne peut plus contrôler. Canadien, il va être perçu comme fédéraliste lorsque, malgré les protestations, il maintient la visite de la Reine Elisabeth à Québec. « Elle est le chef de l'État officiel qui s'appelle le Canada, notre reine. Quand elle vient ici, elle est chez elle. » Hélas, il s'ensuivra ce qu'on a appelé « le samedi de la matraque » en octobre 1964 à Québec.

Jean Lesage n'est pas pour autant en odeur de sainteté à Ottawa. Son provincialisme a un parfum de soufre au nez du fédéral. Surtout lorsqu'à partir du 25 février 1965 éclate entre la France, le Canada et le Québec la première des batailles du protocole, à cause des accords culturels.

Le Maire Drapeau et le Premier ministre en 1962, alors que la nation les identifiait parmi les artisans de la révolution tranquille.

Heureusement que la France, au bout de six mois aigre-doux, trouvera une sortie honorable pour tous, en demandant « l'assentiment » d'Ottawa, par la voix de son ambassadeur François Leduc, une fois le fait accompli. Tous ces événements laissent chaque fois de nouvelles blessures, surtout à l'intérieur du parti libéral. Pour les uns, Lesage va trop à « gauche » ou se prend pour Duplessis. C'est en vain qu'il mettra sur une voie de garage René Lévesque, considéré comme gauchiste. Pour les autres, il n'en fait pas assez: il devrait accélérer les réformes et prendre encore plus de champ vis-à-vis d'Ottawa. Enfin, pour une grande partie de la population, tout va trop vite et l'on regarde avec crainte la nouveauté, mère du terrorisme.

C'est en vain que Lesage lancera sa formule « Nous sommes d'extrême-centre ». Le mal est fait.

Une dernière fois, Jean Lesage va essayer de forcer la chance. C'est autour de sa personne qu'il va lancer sa campagne électorale à la tête d'un parti divisé, qui a perdu son élan. Mais la peur de la déconfessionalisation de l'école, des réformes que l'on ne

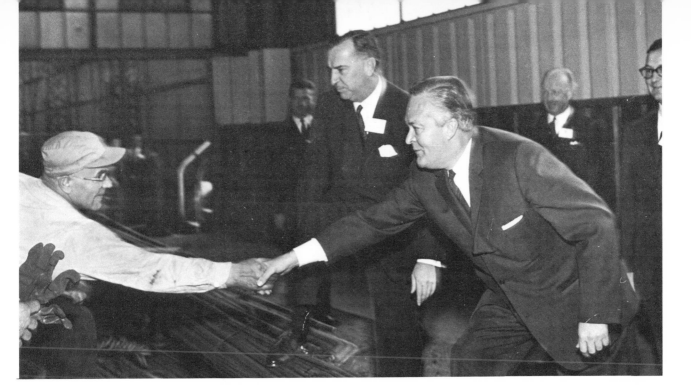

Le Premier ministre a toujours dit qu'il fallait encourager l'industrie, et il joint le geste à la parole.

comprend pas, jointe à celle de perdre les fruits d'une prospérité qui est en train de naître, font que les qualités de Lesage sont perçues comme des défauts. Sa résolution est prise comme de l'autoritarisme et ses jeux de voix comme inconstance d'humeur. Pire, Daniel Johnson, avec son thème « Égalité ou indépendance », récupère un nationalisme inquiet qui ne veut pas s'associer « à la rue ».

Le 6 juin 1966, c'est la défaite. Daniel Johnson prend le pouvoir avec 56 députés. Une défaite honorable certes. Avec 50 députés, le parti libéral de Jean Lesage pèse un grand poids dans la balance. Mais cette défaite est surtout celle d'un homme et il en faut peu pour convaincre certains que seul Lesage a perdu, mais non le parti. De fait l'opposition sied mal à ce perpétuel gagnant. Les fêlures s'accentuent autour de la position constitutionnelle. René Lévesque et ses amis partent en 1967 pour fonder le mouvement Souveraineté-association, l'ancêtre du parti québécois. François Aquin, ex-président du parti et jeune loup, se proclame indépendantiste. Quant à Éric Kierans, il est parti vers Ottawa où ses colombes (Trudeau, Marchand, Pelletier) roucoulent dans le paradis du pouvoir.

Le vieux lion essaie vainement de faire face à la révolte qui gronde. Devant les fuites et les murmures d'un parti qui a encore le goût du pouvoir, surtout après la mort de Daniel Johnson, il se voit dépérir.

Sagement, mais à contre-coeur, il démissionne en 1969. Le 17 janvier 1970, Jean Lesage sort de l'histoire qui se fait et entre dans la légende où il restera l'homme de ce soir du 22 juin 1960 où tout était possible...

LA GRANDE AVENTURE DE L'ÉLECTRICITÉ

Le projet du siècle! C'est ainsi qu'on qualifia l'annonce des travaux hydro-électriques à la Baie James. On allait y construire le plus gros chantier que le Québec eût jamais vu sur son territoire. Robert Bourassa, alors premier ministre, avait profité de l'occasion de son premier anniversaire d'accession au pouvoir, le 30 avril 1971, pour annoncer le projet de développement de la Baie James.

Peu à peu, le projet prend forme. Les travaux sont en bonne partie complétés et la mise en service des groupes générateurs programmée de 1980 à 1985. À la pointe des travaux, 20 000 personnes vivent sur les chantiers. Les chiffres sont astronomiques. Le territoire couvert est deux fois plus grand que la Grande-Bretagne. 6 000 travailleurs sont affectés à la construction des lignes de transport.

On évalue à 16 milliards de dollars le coût total des travaux, sans compter ce qui sera investi pour aménager et tirer profit de tout ce territoire.

Car le développement de la Baie James constitue davantage que le simple harnachement de rivières riches en potentiel énergétique. Il a fallu tracer des routes dans cet immense territoire, construire des villes, aménager les équipements nécessaires à ces grands rassemblements humains, étudier l'impact sur le territoire et la faune, développer le tourisme et protéger l'environnement contre les trop brusques changements. Sans oublier les perturbations qu'allaient subir les habitants de toujours de cette région: les Indiens et Inuit.

Pourtant, la base de toute cette aventure était la recherche constante de nouvelles sources d'énergie. Au début des années '70, l'énergie était devenue l'objet de préoccupations continues. Les crises multiples au Moyen-Orient avaient perturbé considérablement la sécurité des approvisionnements en pétrole. Et de fait, l'énergie était devenue une véritable monnaie politique. Or, depuis toujours, l'énergie constituait aussi le moteur de toute forme de développement. Chaque nouvelle source d'énergie découverte avait apporté une accélération du processus d'urbanisation et d'industrialisation.

Mais dans cette dernière partie du XXe siècle, le problème posé était différent. Allions-nous avoir assez d'énergie disponible pour maintenir notre rythme de croissance, ou tout au moins pour satisfaire à la demande existante?

Le Québec n'avait pas de pétrole — qui constituait pourtant plus de 70% de notre bilan énergétique — et le gaz naturel qu'on y avait trouvé était en trop petite quantité pour que ce soit significatif. De plus, on ne se servait plus de charbon depuis longtemps.

174

Il fallait donc se tourner vers la source d'énergie la plus abondante au Québec: l'hydro-électricité. Elle avait l'avantage d'être renouvelable, c'est-à-dire que nous étions assurés d'en avoir toujours. Car si les puits de pétroles étaient limités et qu'on pouvait un jour en voir le fond, les cours d'eau sur lesquels on installait les turbines pour produire de l'électricité étaient intarissables. D'une saison à l'autre, les rivières se remplissaient au point de déborder en certaines régions.

Au début des années '70, l'énergie était donc devenue une monnaie politique et un facteur essentiel de développement... Parce qu'elle revêtait une telle importance, il est bien évident que toute l'histoire de l'énergie au Québec fut le lieu de rivalité, de luttes politiques, et l'enjeu d'importantes sommes d'argent.

Dès l'annonce du développement de la Baie James, l'opposition politique du gouvernement d'alors s'élève contre le projet. D'une part, on estime que les études qui ont été faites sur le projet ne sont pas complétées et ne permettent pas d'évaluer sa rentabilité. D'autre part, on n'est pas certain que le nucléaire ne serait pas un meilleur choix que l'hydro-électricité pour faire face aux problèmes énergétique de demain.

Fort de son pouvoir politique, le gouvernement de Robert Bourassa affirme qu'il s'agit là d'un projet essentiel pour le Québec. Ce que nous produirons d'énergie, nous n'aurons pas à l'importer d'ailleurs. De plus, fabriquer nous-mêmes notre énergie permettra des retombées économiques importantes pour le Québec, car nous engagerons des travailleurs québécois et nous utiliserons du matériel et de l'équipement québécois. Et c'est finalement à la Société d'énergie de la Baie James, filiale de l'Hydro-Québec, que revient le mandat de développer les ressources hydro-électriques des rivières de la Baie James.

Ce qui semblait sur papier un projet utopique devient peu à peu réalité. Mais c'était compter sans les incidents de parcours.

Les perturbations écologiques qui découlent du développement du territoire inquiètent les autochtones qui vivent dans la région. Ils sont quelque 6 000 Indiens Inuit et Cris, qui possèdent toujours des territoires de chasse dans ce secteur et qui craignent que l'équilibre rompu de la nature leur soit préjudiciable.

Après des études et des protestations, des pourparlers sont entrepris avec les hommes politiques, mais sans succès. Les autochtones décident de porter leur cause devant les tribunaux et

obtiennent, dans un premier temps, en 1973, une injonction interlocutoire interrompant tous les travaux à la Baie James. La cause est portée en appel et les chantiers sont de nouveau réouverts. La bataille judiciaire s'annonce longue. Mais une entente de principe sera signée le 15 novembre 1974. En même temps que les autochtones renoncent à leurs droits sur le territoire de la Baie James, ils reçoivent en échange d'autres territoires et une compensation monétaire de quelque $225 millions.

Par ailleurs, en 1974, le mécontentement est grand chez certains ouvriers. Les travailleurs se plaignent des conditions de vie sur le chantier et tentent d'imposer un monopole syndical. L'attitude intransigeante des uns, l'exaspération des autres aboutissent à une explosion de violence sur le chantier. Des ouvriers endommagent les génératrices qui alimentaient le chantier en énergie électrique et le saccagent. On évalue à quelque $30 millions les dégats causés. Le chantier sera alors fermé pendant sept semaines.

Mais à travers ces difficultés, le complexe s'érige lentement. Il aura fallu construire 1 600 km de routes, cinq aéroports, cinq villages et six campements pour loger les travailleurs. Pour le Québécois, c'est vraiment l'heure des pionniers qui revient: la conquête des grands espaces arides, semblable à celle de nos ancêtres. Car pour se rendre à la Baie James, il faut partir loin et pour longtemps. Les travailleurs ne reviennent qu'une fois tous les deux mois, puis repartent vers la solitude de ces grands espaces.

Et pendant que se complète le projet du siècle, on oublie déjà un autre grand projet: le barrage Daniel Johnson à Manic 5, terminé en 1968. La huitième merveille du monde. Il s'agit du plus grand barrage à voutes et contreforts du monde. Un exploit en soi.

Avec ce barrage, le Québec prouve au monde entier que ses ingénieurs peuvent réaliser de grandes choses. Car Manic 5 a été

construite par des gens de chez nous. C'est la première grande épopée du Québec.

Ce barrage est élevé au rang de mythe collectif. On le chante pendant des mois: « Si tu savais comme on s'ennuie, à la Manic... » On utilise son nom sur des marques de commerce: des cigarettes, par exemple, portent son nom. On lance une voiture sport toute québécoise: « La Manic » encore.

Le mot devient symbole de réussite, de grandes réalisations ambitieuses et de rêve. Car la Manicouagan, c'est loin. C'est un autre univers. Pendant toute la durée de l'Exposition universelle à Montréal, on verra sur écran géant la retransmission en direct du déroulement des travaux sur le plus grand chantier jamais entrepris par des Québécois.

Manic 5 fut nommé le barrage Daniel Johnson, du nom du premier ministre du Québec d'alors qui s'était rendu inaugurer le barrage et qui avait trouvé la mort sur les chantiers mêmes, pendant la nuit précédant l'inauguration. Il était accompagné des principaux artisans de cette réussite: soit l'ancien premier ministre Jean Lesage et l'ancien ministre des Richesses naturelles, René Lévesque, qui avait été le parrain, sinon le père de ce qu'on a appelé « la nationalisation » de l'électricité.

La Baie James, Manic... c'est l'ère des grandes réalisations et l'oeuvre de la société d'État, l'Hydro-Québec. En effet, derrière toutes ces réalisations, on retrouve l'Hydro-Québec comme maître-d'oeuvre, et sa filiale, la Société d'énergie de la Baie James.

L'Hydro-Québec devient vite le symbole de la réussite des Québécois francophones. Une sorte de noble institution qui appartient en propre aux Québécois. L'histoire, en effet, de cet organisme d'État se marie avec toute l'histoire du Québec des dernières décennies dans sa quête d'une véritable identité. Et dans sa lutte contre l'oppression des puissances d'argent anglo-saxonnes, elle est empreinte du désir du Québec d'assumer enfin son propre destin.

Car le départ de toute cette grande aventure coïncide avec ce qu'on a appelé la « nationalisation » de l'électricité en 1962 et constitue l'une des grandes phases de la « Révolution tranquille » du Québec.

C'est René Lévesque, alors ministre des Richesses naturelles, qui lance l'idée de l'unification de tout le système électrique du Québec,

lors d'un discours, en février 1962, à l'ouverture de la Semaine de l'électricité.

Il constate que les régions éloignées et peu denses sont mal desservies, que chaque compagnie d'électricité privée procède à des investissements sans concertation aucune avec les autres, que les lignes de transport sont parfois dédoublées, que les frais d'administration qui découlent de cette situation sont augmentés d'autant.

En somme, il soutient qu'un service public essentiel comme l'électricité doit être réparti équitablement entre tous les citoyens et qu'il faut à tout prix mettre de l'ordre dans ce fouillis coûteux. Cette prise de position provoque une levée de boucliers de la part des compagnies privées qui essayent de démontrer que les arguments invoqués par le gouvernement sont faux.

Elles mettent en garde le monde des affaires contre le danger d'expropriation de tous les services publics, dénoncent le socialisme et le nationalisme canadien-français. Elles reprochent aux francophones de se servir du pouvoir politique pour s'emparer de l'entreprise privée. On utilise le langage de la peur et on affirme même que de telles visées par le gouvernement du Québec ne peuvent qu'effrayer et ralentir la venue des investissements américains. On évoque, de plus, l'inertie traditionnelle de toute entreprise d'État, l'incompétence de ses fonctionnaires et les coûts additionnels qu'une telle situation va nécessairement entraîner pour le consommateur.

Les média d'information emboîtent le pas et utilisent le terrorisme économique à fond. On va même jusqu'à parler de crime contre la propriété privée. La Shawinigan Power n'hésite même pas à affirmer à ses employés qu'ils seront réduits à l'esclavage advenant la nationalisation de l'électricité, qu'ils risquent de perdre postes, salaires et autres avantages.

René Lévesque rectifie le tir à chaque occasion. Il expose les avantages de l'intégration des réseaux et préconise les économies qui vont nécessairement en découler. La population suit le débat avec intérêt. C'est sa fierté qui est remise en cause et son opposition traditionnelle aux grandes compagnies anglo-saxonnes refait surface.

Le premier ministre, Jean Lesage, annonce alors qu'il y aura des élections le 14 novembre sur cette question de la nationalisation de l'électricité. La population soutient son gouvernement dans

cette affaire. L'Hydro-Québec fait donc des propositions d'achat de gré à gré aux différentes compagnies privées qui accepteront de céder leurs actions à la compagnie d'État.

Un an plus tard, l'uniformisation progressive des tarifs s'avérait avantageuse pour les consommateurs et le gouvernement du Québec, les municipalités et les commissions scolaires recevaient davantage en taxes et impôts de l'Hydro-Québec qu'elles n'en recevaient auparavant.

L'Hydro-Québec avait gagné son pari. Elle allait prouver par la suite qu'elle était capable de grandes choses. Elle avait considérablement augmenté son pouvoir d'achat et atteint un prestige que ses autres réalisations allaient confirmer.

La « nationalisation » de l'électricité demeurait un fait politique, comme d'ailleurs toute l'histoire de l'électricité au Québec. Car la naissance de l'Hydro-Québec, en 1944, était aussi un fait politique.

C'est en effet pour contrer l'omnipuissance de la Montréal Light Heat and Power (MLH&P) que fut créée, en 1944, à la fin de la guerre, la Commission hydroélectrique de Québec, appelée l'Hydro-Québec. De nombreuses critiques avaient alors été élevées contre la MLH&P. On l'accusait d'exploiter indûment les consommateurs, d'imposer des tarifs abusifs, de tirer des bénéfices énormes de leurs transactions et opérations, sans parler du service qui laissait souvent à désirer. C'est ce qu'on appelait le « trust » de l'électricité.

Une enquête entreprise en 1938, par la Régie de l'électricité, avait prouvé que les profits de la MLH&P étaient vraiment trop considérables d'une part, et que, d'autre part, la valeur aux livres de la société avait été indûment gonflée. À la suite de ces révélations, le gouvernement songe à nationaliser la société.

Mais à peine l'enquête a-t-elle commencé qu'une véritable campagne d'information est lancée contre le gouvernement par cette société. On défend à fond l'entreprise privée contre la mainmise de l'État, on tente de démontrer que le gouvernement sera incapable de bien prendre en main ce secteur d'activités. On évoque même, à ce moment, le fait que de nouvelles sociétés vont refuser de venir s'installer au Québec. En fait, le même scénario sera repris chaque fois que l'entreprise privée se sentira menacée.

Mais le gouvernement tient bon et crée l'Hydro-Québec qui prend

en main les actifs de la MLH&P. Quelques mois plus tard, les tarifs des consommateurs étaient réduits de quelque 10%. Des francophones faisaient une première percée dans un secteur d'activités où ils avaient été constamment tenus à l'écart. Et souvent au moyen de procédés douteux utilisés par les anglo-saxons qui savaient se trouver de bons alliés et de bons arguments, qu'on présume sonnants, pour préserver leur chasse gardée et obtenir les contrats les plus avantageux.

À partir de ce moment, l'Hydro-Québec restera toujours un symbole de la réussite du fait français dans le monde des affaires. Et la fierté des Québécois. Cette société d'État incarnera longtemps le nationalisme québécois. En même temps, elle sera un moteur pour toute l'économie québécoise. À la fin des années '70, les dépenses afférentes à l'énergie constituent près du quart de tous les investissements faits au Québec.

Fait national, fait politique, fait économique, l'énergie au Québec revêt donc une dimension particulière. Mais, maintenant qu'il faut aller toujours plus loin pour la cueillir, et que l'énergie coûte de plus en plus cher, on découvre son caractère précieux, et limité... Désormais, on parle autant de conservation d'énergie que de production. Et lorsqu'on parle production, on ne pense plus nécessairement au pétrole ou à l'électricité: on a présent à l'esprit, d'une part, le nucléaire que certains disent incertain, et d'autre part les énergies redécouvertes qu'on dit nouvelles, soit l'énergie solaire, l'énergie éolienne et les autres.

Mais tout ça, c'est encore l'Hydro-Québec qui les développe au Québec...

VIGNEAULT
LA TENDRESSE

Il nous prend tous par surprise lorsqu'il débarque parmi nous avec ses poésies et ses musiques sculptées à même les froidures, les vents de grand large et les espaces habités de personnages insoupçonnés de son Natashquan natal.

Nous ne l'attendions guère. Et pourtant, il est là, comme sorti miraculeusement d'une boîte à surprises: regard émerveillé, silhouette dégingandée, voix de pantin brisé. Et il se présente à sa manière qui n'est pas tout à fait celle des autres: « Je ne suis pas mort. Vécu treize ans à Natashquan. Étudié une quinzaine d'années. Enseigné durant sept autres. Ramé, pêché, chassé, dansé, portagé, couru la grève, débardé, ri et pleuré, cueilli béris, bleuets, framboises, aimé, prié, parlé, menti. Écrit cent chansons et deux livres. Ai l'intention de continuer. »

L'arrivée de ce phénomène au royaume de la chanson québécoise coïncide avec le grand remous si constructif de la fin des années 50. Chacun prend enfin conscience de la grandeur de son pays, de la richesse folklorique de sa province, des possibilités d'un avenir démesuré calqué à la mesure d'un patrimoine retrouvé. Tout cela il faut le ré-inventer, l'écrire et le chanter.

Les gens du pays, le pays du Québec, voient aussitôt en lui le chantre de ses inspirations, de sa raison d'être et d'exister. Mais d'où vient donc ce magicien éberlué capable avec une voix de chanteur qu'il ne possède point de soulever des auditoires inédits par la seule puissance de sa présence insolite? Une certaine Aline Robitaille est parvenue, elle, à percer ce mystère qui n'en est pas un, à vrai dire, en écrivant quelque part: « Depuis l'avènement, au Québec, de la chanson dite poétique, les normes conventionnelles

de la « grande » poésie ont été secouées. Et Gilles Vigneault a su réinventer l'impossible, en faisant ainsi d'une salle de spectacle un pays, d'une foule anonyme, un peuple! »

Né d'un père pêcheur, à mille trois cents kilomètres de Montréal, sur la rive gauche du Saint-Laurent, il est tour à tour journalier, matelot, commis-libraire, scripteur avant de devenir professeur (algèbre, français-latin) à Québec où il commence à s'exprimer librement en publiant contes, poèmes, saynètes... Et comme c'est la grande époque des boîtes à chansons, on l'aperçoit, un soir, sur la petite scène intime de l'une d'elles, où le hasard se prend soudain à faire très bien les choses. Le folkloriste Jacques Labrecque, de passage, découvre dans un enthousiasme presque délirant, la valeur originale et spectaculaire des chansons de Vigneault. Il s'empare des premières dont « Jos Monferrand » qu'il enregistre aussitôt sur disque.

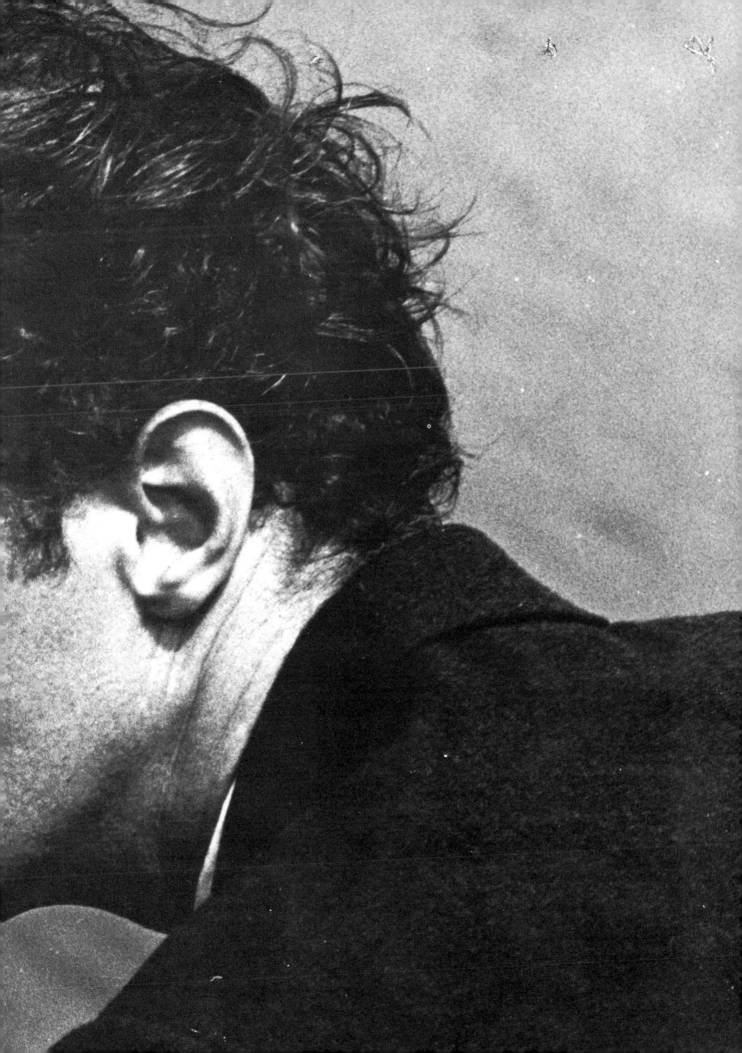

Pauline Julien chante à son tour du Vigneault: « Jack Monnoloy » et bien d'autres. Les chansons de Gilles Vigneault éclatent au grand jour. Par la suite, il se charge lui-même de nous faire connaître les typiques personnages de son univers poétique: « Jos Hébert », « Zidor », « Jean du Sud », « Caillou Lapierre »... Là où il chante, c'est la foule, l'ovation, l'insatiable sursaut de fierté et la consécration... Toutes les autres consécrations viendront par surcroît, ici même comme en France où, à la suite de Félix Leclerc, la chanson du Québec est à l'honneur. Et au sujet du grand « lièvre-camarade », il dira tout simplement: « Lui, il est passé en raquettes dans des chemins où nous passons aujourd'hui en limousine! »

La poésie et les chansons de Gilles Vigneault révèlent un univers ancré dans une tradition culturelle originale et prise à un moment particulièrement significatif de son histoire. Parce qu'il a su dire mieux que nul autre le pays de ses origines, il est devenu le symbole de la renaissance culturelle québécoise.

Il y a vingt ans déjà, Jacques Labrecque découvrait les chansons de Gilles Vigneault...

PETIT LEXIQUE
DU TEMPS
QUI PASSE

LA GRANDE COLÈRE DES CAMIONNEURS

Il n'est pas six heures, le vendredi 27 avril 1962, lorsque les premiers grévistes arrivent pour former une ligne de piquetage devant les entrepôts des compagnies de transport Smith et Kingsway, sur le chemin de la Côte-de-Liesse. Ils parlent de leurs revendications, des longues heures passées au volant, des salaires qui ne suffisent plus avec la montée des prix. C'est le printemps, le ciel est clair... la conversation dérive... les femmes, la pêche, les vacances, la Floride, Cape Cod, Old Orchard. Pour un peu, ils joueraient aux cartes. Lorsque les policiers municipaux arrivent, les piqueteurs choisissent de les ignorer. Après tout, il n'est pas rare qu'ils se connaissent, qu'ils se rencontrent à la taverne et rient des mêmes blagues.

Mais lorsque la Sûreté du Québec arrive, la hargne monte, la colère s'installe. Vers midi, il y a plus de cinq cents protestataires du côté sud de la rue, bien décidés à ne plus laisser entrer ou sortir les non-grévistes, et encore moins les « scabs », les briseurs de grève embauchés pour faire leur travail. Face à eux, côté nord, sur le domaine des compagnies Smith et Kingsway, une centaine de policiers armés, tendus, prêts à riposter à la moindre alerte. Et c'est l'échauffourée. Des camions tentent une sortie en force. Les projectiles pleuvent. Les pare-brise sont couverts de peinture. Contraints de s'arrêter, les chauffeurs se barricadent dans leurs cabines. Trois grévistes sont emmenés à l'hôpital. Un photographe et plusieurs policiers souffrent de contusions.

Madame Kirkland-Casgrain, député de Montréal-Jacques-Cartier, se rend sur les lieux. «Si quelqu'un a manqué à son devoir, il en entendra sûrement parler!», affirme-t-elle aux journalistes qui lui demandent ce qu'elle pense des affrontements de l'après-midi. Son arrivée a provoqué une détente chez les grévistes et la journée s'achève dans le calme.

HUBERT AQUIN, PRINCE DES LETTRES

« Prochain épisode » vient de paraître... Rarement, premier roman fut-il autant attendu. À cause de la personnalité de l'auteur, car Hubert Aquin, à l'âge de 35 ans, est déjà un Prince des lettres et de la pensée québécoise. Cet être nerveux et nonchalant, au profil d'aigle et au regard envoûtant, doué d'un charme irrésistible, à la riposte percutante et au verbe persuasif et précis, est entré dans la vie culturelle du Québec comme les bolides qu'il affectionne: en trombe!

On l'admire ou on le déteste: il fascine. Il tâte de tout avec succès autant dans le visuel que dans l'écriture, il cache un travail acharné sous une paresse qu'il affiche ostensiblement. Vice-président du Rassemblement pour l'Indépendance Nationale (RIN), il en a été le penseur critique. Car faussement détaché en apparence, ne dédaignant pas le paradoxe, il a en lui un véritable culte pour la lucidité. Son nationalisme est une foi critique qu'il modifie ou affine, sans dévier de sa ligne de base. Réalisateur et producteur à l'ONF, rédacteur de Liberté où il s'exprime de manière à la fois percutante et précise, il a connu son aventure personnelle dans la violence qui lui permettra de faire le point, et dont le fruit est ce premier roman...

« Prochain épisode » détermine les valeurs fondamentales de son œuvre: l'être essaie de se trouver dans son double, il n'est lui-même qu'en se mettant en situation, en cherchant à s'éprouver, en allant jusqu'au bout, c'est-à-dire en se risquant lui-même... C'est un style nouveau, un nouvelle conception de l'écriture au Québec qu'Hubert Aquin va perfectionner au cours des années, avec « Trou de Mémoire », « L'Antiphonaire », « Point de Fuite » jusqu'à ce chef-d'œuvre qui consiste à mélanger deux mondes, celui du visuel et de la pensée, celui des personnages et des acteurs: « Neige noire »... Hubert Aquin, autant pour lui-même que pour ses écrits, reste entier: il ne souffre pas le compromis qui peut mettre en danger sa pensée. Devenu directeur littéraire des Éditions La Presse, avec un objectif précis — qu'il croit avoir été bien compris — il démissionne avec éclat quand il s'aperçoit qu'il risque de devenir un prétexte ou un paravent... Et puis, le 17 mars 1977, à l'âge de 48 ans, il dispose de ce qui n'appartient qu'à lui: il se suicide, dans un acte réfléchi... Il laisse, tant sous forme d'articles que de nouvelles ou de romans, une œuvre considérable, dont on ne découvrira la valeur inestimable que lorsque, petit à petit, la légende du prince se sera dissipée. Une œuvre qui ne vieillit pas: quand on lit « Prochain épisode », on a l'impression que ce livre a été écrit aujourd'hui, dans un langage nouveau...

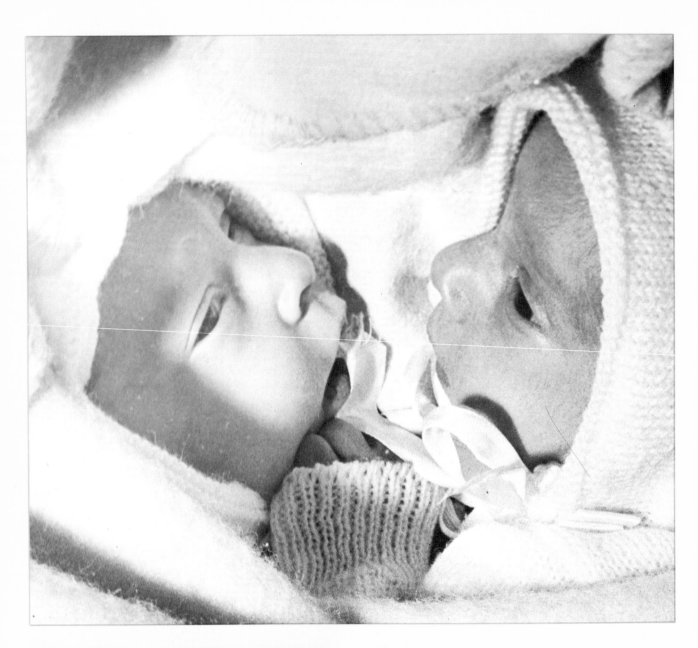

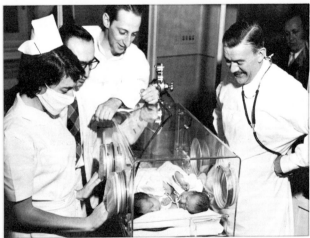

LES SOEURS SIAMOISES DE ST-EUGÈNE

« C'est ce à quoi nous nous attendions », soupire Romuald Berger. Le Dr Richard, qui les a mises au monde, vient de lui annoncer la mort de ses deux filles. Et pourtant, quand les petites siamoises nées le 19 octobre 1954 à Saint-Eugène de Ladrière, près de Rimouski, sont arrivées à l'hôpital Sainte-Justine, les médecins espéraient bien les sauver. Elles avaient vingt-huit jours, et c'était la première fois dans les annales de la médecine canadienne que des bébés siamois vivaient plus de quelques heures. On envisageait de les séparer vers le septième mois. Hélas, moins de six semaines plus tard, les deux fillettes succomberont...

DES VOLEURS BIEN POLIS

« Allez donc faire un tour au Château de Ramezay...
mais ne vous inquiétez pas, le travail a été fait
proprement. » Proprement et poliment. Vers 23 h, le
dimanche 17 janvier 1965, la gardienne du Musée,
Mme O'Dowd, une sexagénaire, entend des bruits
suspects... Elle descend et tombe nez à nez avec...
deux bandits masqués amateurs de vieilleries, qui la
prient instamment de leur ouvrir trois armoires
vitrées où sont exposées des pièces de monnaie
anciennes, d'une valeur totale de $100 000 environ
(certaines remontent à l'époque où la résidence de
Claude de Ramezay, officier militaire sous le régime
français, fut construite, c'est-à-dire au début du
18e siècle). La vieille dame n'a guère le choix: elle

s'exécute, et l'un des bandits la reconduit à sa
chambre. Il accepte même de ne pas lui lier les
jambes et les poignets, comme il en avait d'abord eu
l'intention. Puis il redescend aider son compagnon,
après avoir arraché les fils du téléphone.

Ils sont repartis comme ils étaient venus, par la
« porte de l'enfer », une lourde grille d'acier située à
l'arrière du Château. Ils ne courront pas longtemps:
le 2 février, la police appréhende cinq suspects.
Dans la cave de leur maison, à Pointe-Saint-Charles,
on retrouve leur butin enfoui sous 60 cm de terre:
la moitié des pièces volées au Château de Ramezay,
$16 000 en mandats-poste volés à Notre-Dame-de-
Grâce, deux revolvers et un fusil à canon scié.

HORREUR À YAMACHICHE

« Le pire, c'était l'odeur », déclare Roland Lemire, envoyé sur les lieux par « le Nouvelliste » de Trois-Rivières. Près de Yamachiche, dans cette nuit glaciale du 30 janvier 1954, les hommes sont impuissants à lutter contre l'horreur de la tragédie qui se déroule sous leurs yeux. Ils reculent, repoussés par le souffle brûlant et nauséabond du feu qui dévore l'autobus de la Compagnie de Transport Provincial qui, comme chaque soir, se rendait à Québec. Que s'est-il passé? Aucun des deux conducteurs n'a le sentiment qu'il était trop à gauche. Le camion, qui roulait à vide vers Cornwall, Ontario, a enfoncé tout le côté gauche de l'autobus, jusqu'à la sortie de secours où il s'est immobilisé. Un témoin, A. R. Dupont, de Montréal, déclare que les deux véhicules lui ont « paru soulevés de terre, avant de retomber à côté de la route avec des soubresauts ».

Presqu'aussitôt, des flammes jaillissent. De l'autobus montent des cris déchirants, des sanglots, et puis le silence s'installe, sinistre, lugubre. Tout est fini! Dans la ferraille tordue, les passagers prisonniers ont tenté en vain d'ouvrir la sortie de secours, ou de se dégager des sièges qui les enserraient, mâchoires monstrueuses qui se sont refermées sur eux au moment où ils s'y attendaient le moins. Pour retirer leurs restes carbonisés de la carcasse écrasée de l'autobus, il faut la découper au chalumeau dans la morgue même, où le tout a été transporté par camion. On dénombre quatorze victimes.

LE PONT CHAMPLAIN AU SECOURS DES AUTOMOBILISTES

En 1960, les trois ponts (un routier, un ferroviaire et un mixte) qui relient Montréal à la rive sud sont surchargés. Aussi est-ce avec impatience que leurs usagers suivent les progrès du pont dont la construction a été entreprise en 1957 et qui va franchir le fleuve en s'arrêtant à l'île des Sœurs. Enfin, le 28 juin 1962, le pont Champlain est inauguré! Il a coûté $35 000 000 que les usagers vont devoir rembourser à coups de vingt-cinq cents!

ANNE HÉBERT GAGNE LE PRIX DUVERNAY

Le 11 décembre 1958, Roger Duhamel remet le prix Duvernay de la Société Saint-Jean-Baptiste — décerné chaque année à un écrivain canadien-français — à Anne Hébert. C'est en termes lyriques que la jeune poétesse s'adresse alors à toutes les personnes réunies à l'hôtel Queen's pour un grand banquet donné en son honneur: « Notre pays est à l'âge des premiers jours du monde. La vie ici est à découvrir et à nommer: ce visage obscur que nous avons, ce cœur silencieux qui est le nôtre, tous ces paysages d'avant qui attendent d'être habités et possédés par nous, et cette parole confuse qui s'ébauche dans la nuit, tout cela s'appelle le jour et la lumière. Et moi, je crois à la vertu de la poésie, je crois au salut qui vient de toute parole juste, vécue et exprimée. Je crois à la solitude rompue comme du pain par la poésie. »

CEUX DE LA TÉLÉ...

Denise Filiatrault et Jean-Pierre Masson —Délima et Séraphin —la sœur et le frère des «Belles Histoires des pays d'en haut» en 1959, et la très belle Andrée

Champagne qui, à la ville, ne ressemble en rien à l'épouse soumise et souffreteuse de ce grippe-sou de Séraphin.

Le Survenant fait les beaux jours de Radio-Canada en 1956. Jean Coutu et Ovila Légaré dans un affrontement amical.

1961. Adam et Ève, au tout début de Télé-Métropole et les mêmes aujourd'hui: Jeannette Bertrand devenue l'excellente auteur de « Grand-papa » et Jean Lajeunesse, vieilli par la magie du maquillage.

Avec les années soixante, « La côte de sable » s'affirme comme un téléroman à succès. Clémence Desrochers, appuyée sur la chaise de Nathalie Naubert, Denise Pelletier, Yves Létourneau, Roger Garceau, Benoît Girard et Richard Martin. Richard Martin alors acteur, devenu depuis un réalisateur coté.

En 1959, ce jeune annonceur de Québec ne sait pas encore qu'il deviendra quinze ans plus tard Boubou... le célèbre animateur qui donna son nom à une

émission de Radio-Canada. Il ne sait pas non plus qu'il se méritera le prestigieux trophée Olivier Guimond.

1957. Presque toute la distribution de « Cap aux Sorciers » est réunie sur cette photographie, autour de son réalisateur, Paul Blouin: Paul Dupuis, Marcel Giguère, Monique Miller, Gilles Pelletier, Pierre

Dufresne, Georges Carrère, Françoise Gratton, Aimé Major, Monique Joly, Hélène Baillargeon et Yolande Roy. Des noms qui pour la plupart demeurent des têtes d'affiches.

LUCILLE WHEELER SUR LE PODIUM

1956. À Cortina d'Ampezzo, en Italie, où se déroulent les jeux Olympiques d'hiver, les Canadiens fondent tous leurs espoirs sur Lucille Wheeler, de Saint-Jovite dans les Laurentides, qui est arrivée deuxième de sa catégorie aux concours internationaux d'Autriche, en janvier. Le 1er février, c'est la joie! Elle se place troisième derrière les skieuses suisses Madeleine Berthod et Freida Danzar. C'est la première fois qu'une skieuse canadienne remporte une médaille dans toute l'histoire des jeux Olympiques!

LE NAUFRAGE DU FORT WILLIAM

Le Fort William est flambant neuf. Il vient d'effectuer son troisième voyage entre les grands lacs et Montréal. Entre autres choses, sa cargaison contient des produits chimiques très sensibles à l'humidité. Le capitaine Wilkinson n'a pas songé à en informer le maître de port...

Très tôt le mardi 14 septembre, c'est le drame. Une violente explosion se produit. En quelques minutes, le Fort William se couche. Ses mâts se fracassent contre les quais. Le navire de la Canada Steamship Lines disparaît, entraînant dans la mort cinq de ses vingt membres d'équipage.

DÉJÀ DRAPEAU!

Début octobre 1954, le jeune avocat Jean Drapeau fait sa première entrée glorieuse à l'hôtel de ville de Montréal... Et il a bien l'intention d'y rester longtemps!

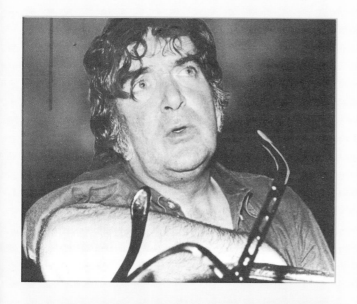

ZONE LANCE MARCEL DUBÉ

« Zone », une pièce dramatique de Marcel Dubé, de Montréal, jouée par la troupe « La Jeune Scène », vient de gagner à Victoria le grand prix du Dominion Dramatic Festival.

La nouvelle ne fait pas les manchettes au Québec, en ce printemps 1953. Pourtant, elle a une importance énorme sur la vie du Théâtre ici. Non seulement, à l'échelle du Canada, elle est la consécration de la naissance d'une dramaturgie québécoise, mais elle est le début de la carrière officielle de celui qui va être, pendant près de vingt ans, le géant de la création dramatique au Québec: Marcel Dubé. À la vérité, ce n'est pas le fruit d'un hasard heureux, mais plutôt d'un travail tenace. Depuis qu'il a entrepris ses études secondaires, Marcel Dubé est attiré par le théâtre, non pas comme acteur (il n'a aucun talent) mais comme auteur. Ce qui est plus qu'original; quasiment insolite dans le Québec des années 50, où le théâtre a encore un côté saltimbanque et où, au mieux, on joue les pièces qui viennent de Paris ou *La Passion* qui est la « grosse affaire » de l'année...

Étudiant, il fonde, avec quelques camarades, une troupe de théâtre, « La Jeune Scène ». Parmi eux se trouvent Guy Godin, Monique Miller, Hubert Loiselle, Raymond Lévesque, Robert Rivard et Pierre Paquette... qui se feront tous un nom plus tard. Mais il est encore hésitant: il va même faire un tour dans l'armée pour deux mois... ce qui lui suffira sans doute pour trouver les éléments d'une autre pièce, « Un simple soldat », qui sera son chef-d'œuvre. L'armée sied mal au littéraire: Marcel Dubé s'inscrit à la Faculté des Lettres de Montréal et, avec « La Jeune Scène », monte une deuxième pièce de son cru, « Derrière la palissade », qu'il présente au Dominion Dramatic Festival. Un bon succès, certes, puisque la pièce sera jouée au Nouveau-Brunswick, mais une répétition, en quelque sorte, avant « Zone », qui le consacre...

Avec Marcel Dubé, c'est le monde des villes et de la société québécoise qui entre en scène. À travers le miroir déformant du dramaturge, les gens vont découvrir la société dans laquelle ils vivent. Derrière la trouée de « Zone » viendront ensuite s'engouffrer toute une série d'auteurs québécois comme Dufresne, Leclerc, qui donneront à notre théâtre ses lettres de noblesse... en attendant Michel Tremblay...

DES AUTOROUTES POUR MONTRÉAL

Pas à pas, un réseau d'autoroutes tisse sa toile autour de Montréal... Fin novembre 1958, les premiers usagers de l'autoroute à péage des Laurentides, qui se fraye lentement un chemin vers le Nord, pourront continuer sur le boulevard Crémazie. Cette première section du boulevard Métropolitain, qui traversera l'île de Montréal d'est en ouest dans quelques années, est en effet pratiquement achevée.

SHERBROOKE, LA DERNIÈRE UNIVERSITÉ CATHOLIQUE

C'est en 1954 qu'est fondée la quatrième université de langue française du Québec. Installée sur l'un des plus grands campus du Canada, elle s'enorgueillit d'avoir été la première à offrir un cours en littérature canadienne. Elle sera la dernière université catholique.

BIENHEUREUSE MARGUERITE D'YOUVILLE

Dimanche 3 mai 1959. Un soleil radieux illumine la cité du Vatican à Rome. Ce matin-là, un millier de Canadiens, pélerins, touristes, résidents en Italie, se retrouvent dans la basilique Saint-Pierre, dont la vaste nef est bondée de fidèles. Par privilège spécial, accordé par le Pape lui-même, c'est son Éminence le cardinal Paul-Émile Léger, archevêque de Montréal, qui célèbre aujourd'hui la messe pontificale.

Pour tous les Québécois, ce dimanche est un grand jour: c'est la première fois dans l'histoire de la chrétienté qu'une Canadienne de naissance, mère d'Youville, fille de Christophe Dufrost de Lajemmerais, née le 15 octobre 1701 à Ville-Marie, est béatifiée.

REMOUS DANS LE PORT

Les mille préposés aux élévateurs à grain et à l'entretien du port de Montréal, affiliés à la CSN (la Confédération des Syndicats Nationaux), en sont à leur quatrième semaine de grève. De leur côté, les débardeurs affiliés à la FTQ (la Fédération des Travailleurs du Québec), continuent à travailler. Leur chef, M. Asselin, s'explique: « Aucun des débardeurs n'a exécuté ou n'exécutera un travail ordinairement accompli par les grévistes. Mais l'Association Internationale des Débardeurs du port de Montréal doit respecter ses engagements contrac- tuels collectifs avec la Fédération des Armateurs du Canada. Son appui aux grévistes ne peut donc être que moral. »

Vendredi, 9 juillet 1965. Quelques grévistes tentent d'empêcher des débardeurs de se rendre au travail.

Une altercation s'ensuit. L'un des grévistes est frappé au visage par un policier du port. Le syndicat des employés portuaires décide alors d'organiser des piquets de grève aux entrées du port. De l'autre côté, les agents de la police privée se promènent, matraque au poignet, ou circulent sur des véhicules que les grévistes utilisent habituellement pour leur travail. Certains prennent des photos des piqueteurs, d'autres les menacent ou les insultent. Dans ce climat, il semble inévitable que des incidents fâcheux se produisent. Mais les policiers de la Sûreté de Montréal interviennent pour maintenir l'ordre, avec une impartialité dont le directeur de la grève, Raymond Couture, fera l'éloge le soir même.

Dès le 14 juillet, les débardeurs reprendront le travail, mais il faudra attendre la mi-août pour que les employés du port suivent le mouvement.

*Dans leur « Théâtre des Marguerites » à Trois-Rivières,
Mariette Duval et Georges Carrère ont réussi la
parfaite harmonie de l'amour et du théâtre.*

LA VOGUE DES THÉÂTRES D'ÉTÉ

Si elle s'est particulièrement intensifiée dès la fin des
années '50, l'existence des théâtres d'été au Québec
n'en conserve pas moins des origines beaucoup plus
lointaines puisqu'elles datent des tout premiers
temps de la colonie. En cette laborieuse époque de
défrichement l'on se réunissait volontiers autour du
feu de camp pour chanter et faire des rondes par les
beaux soirs d'été. Ces joyeuses soirées devaient par
la suite établir d'autres coutumes, comme ces
légendaires séances des cours de couvent et de
collège. Dès la fin du précédent siècle, en saison
estivale, le fameux Parc Sohmer attirait les foules de
Montréal et des quatre coins de la province autour
de son immense pavillon ouvert sur le fleuve où
chants et musique se mêlaient à la brise nocturne et
aux bruits de la ville. Par la suite d'autres initiatives

L'infatigable Jean Duceppe convertit cette grange en théâtre en 1962.

du genre connurent des règnes plus ou moins longs, plus ou moins glorieux. Qui se souvient des merveilleuses fêtes de l'Ile Sainte-Hélène, du Parc Jeanne-Mance et du Mont-Royal et des séances de vues animées sous le ciel de Montréal, dès 1910? Il faut citer aussi l'empire des fameux stades à ciel ouvert d'avant-guerre qui florissaient à Montréal comme en province avec leurs programmes de variétés: Stade Samson, Stade Exchange, Stade Jarry, Stade Delorimier, Stade Molson...

Viennent les lendemains de la dernière grande guerre, l'heure de la vogue des grands concerts « Sous les Étoiles » du Chalet de la montagne (Mont-Royal) et de la périlleuse aventure d'un Pierre Dagenais, comédien, homme de théâtre, directeur de compagnie (l'Équipe) et metteur en scène de génie qui n'hésite pas à monter dans les Jardins de l'Ermitage de la Côte-des-Neiges « son » Songe d'une nuit d'été, spectacle grandiose déjà inscrit en lettres d'or dans le marbre de l'Histoire de nos théâtres d'été.

Cette expérience à la fois magnifique et désastreuse prouve une fois pour toutes que notre climat capricieux n'est guère propice aux représentations en plein air. C'est pourquoi dès la fin des années 50, les nouveaux fondateurs de théâtres d'été veulent un toit pour abriter leurs troupes.

Marjolaine Hébert (1960) et Jean Duceppe (1962) restent de vaillants chefs de file en ce domaine. Certes, avant eux il y avait eu les heureuses initiatives de « La Piggerie » de North Hatley, de « La Frenière » de l'Ancienne Lorette (Québec) et de la grange de Sun Valley fondée par Jacques Normand, qui présenta, entre autres, une pièce de Marcel Dubé, ouvrant ainsi la voie à son successeur

C'est Pierre Dagenais, ce grand homme de théâtre — qui fut un précurseur dans tant de domaines — qui a donné ses lettres de noblesse au théâtre d'été.

Le théâtre de Sun Valley doit tout à Henri Norbert et au choix intelligent de son répertoire.

Henri Norbert... mais, tout compte fait, sans juger du mérite des uns et des autres, c'est vraiment le Théâtre de la Marjolaine d'Eastman, avec la mise en jeu d'une formule dès lors gagnante, qui contribua le plus à cette expansion susceptible d'entraîner à sa suite tous ceux qui allaient bientôt marcher sur ses traces.

Car des théâtres d'été, depuis vingt ans, il en pousse à chaque nouvelle saison, la plupart des régions affichant le leur, l'un des plus populaires d'entre eux étant sans contredit le Théâtre des Marguerites de Trois-Rivières, fondé en 1967 par le comédien Georges Carrère. À quoi attribuer un tel engouement, un tel succès, une telle réussite?

En premier lieu, c'est certain, au choix du répertoire généralement constitué de comédies légères, de vaudevilles modernes... accentués par des distributions de choix et en second lieu, à ce phénomène social qui fait qu'on déserte de plus en plus les grandes villes en été pour la banlieue et les lieux de villégiature.

Les cinémas à ciel ouvert ayant en quelque sorte innové en ce sens, il ne restait plus aux gens de théâtre qu'à profiter des évasions massives en recrutant au passage les amateurs de représentations estivales. Ce qui fut fait pour multiplier et durer.

Jean Duceppe dans « La mort d'un commis voyageur ».

Marjolaine Hébert rayonnante, entre son auteur préféré, Marcel Dubé, et Louis Georges Carrier.

LES NOSTALGIQUES DU NAZISME

« Heil Christ! » Talons serrés, debout, bien raides, près de leurs tables, bras droit tendu, des enfants de onze ans saluent en chœur l'arrivée de leur professeur. Cette scène n'est pas tirée d'un film d'avant-guerre, elle ne se déroule pas en Allemagne nazie dans les années trente. Écoutez bien, et asseyez-vous si vous avez le cœur fragile... cette scène se passe à l'école De La Mennais, rue Saint-Denis, à Montréal, au début de l'année 1965.

La décoration de cette classe ne manque pas d'originalité: au-dessus du classique tableau noir, et à gauche de l'inévitable crucifix central, un portrait au fusain du Christ, surmonté d'une croix latine, auquel fait pendant, à droite, un portrait d'Hitler, surmonté d'une croix gammée (dessinée à l'envers, d'ailleurs). Tout à fait à gauche, un tableau d'honneur sur lequel sont inscrits les noms de tous les élèves de la classe et, en haut, des grades militaires, en ordre croissant, de soldat à SS, l'honneur suprême (Inutile de rappeler les atrocités commises par les « Schutz Staffel », les chemises noires de l'Allemagne nazie...) Quand on s'étonne devant son tableau, le frère Lahaie, titulaire de la classe répond, imperturbable (Gott ist mit ihm!): « Ça existe dans bien des écoles. À Saint-Stanislas, on utilise la même méthode pour noter les progrès et les efforts des élèves. » Et si, ailleurs, on ne se sert pas de grades militaires et nazis, il suppose que c'est tout simplement par manque d'imagination et de sens artistique!

Un élève de septième année a pris sur lui d'informer un journaliste de ce qui s'y passe. S'il ne l'avait pas fait, il est probable que le public et les responsables de la Commission des Écoles Catholiques n'en auraient jamais rien su. Mais, me direz-vous, le directeur de l'école devait bien voir cette classe, les écoliers devaient bien en parler à leurs parents...
Mieux que cela: les parents avaient visité la classe. En outre, deux fois par semaine, on y donnait un cours d'anglais aux adultes. Un jour, l'un de ces élèves des cours du soir, avait pris l'initiative d'avertir le directeur du district de la CECM. Antonio Girard avait alors appelé l'école pour

vérifier les faits, et il s'était contenté des explications que lui avait données le directeur. Fort mécontent que l'élève se soit plaint en haut-lieu, celui-ci avait demandé qu'à l'avenir on s'adresse directement à lui. Silence dans les classes... Tous ces gens trouvaient donc normal qu'on fasse ainsi l'apologie du nazisme, qu'on inculque le respect de la force brutale à de tout jeunes écoliers, en âge d'assimiler n'importe quelle idée, pour peu qu'on sache la présenter sous un jour attrayant?

Ravalant leur bon sens et leur esprit critique, tous s'en remettaient aux bonnes intentions du frère Lahaie et écoutaient religieusement les affirmations du directeur de l'école, le frère Asselin: «Hitler, dans tout cela, c'est comme un cheveu dans la soupe. Il s'agit surtout d'un système d'émulation pour les élèves. Vous savez, cette classe de septième, c'est une classe de gars brillants. Et leurs résultats sont très bons!» Effectivement, les résultats étaient probants. Les parents s'en allaient contents.

Quant au jeune frère Lahaie, — il n'a que vingt-deux ans et enseigne pour la première année —, il a peut-être fait une erreur d'aiguillage en choisissant sa voie. N'a-t-il pas un jour hésité entre le rouge et le noir? La carrière militaire ne l'aurait-elle pas un peu tenté? Il affirme qu'il a surtout voulu opposer le Christ et Hitler, le bon et le mauvais, et non pas les rapprocher, comme les journalistes qui ont vu sa

salle de classe semblent le croire. Mais, poing serré, le regard dur, il déclare d'un ton ferme de meneur d'hommes (devrais-je dire d'âmes?):
— Hitler était un chef d'armes. Les jeunes de ma classe sont à l'âge de trouver cela fascinant. Ils aiment les films de guerre, ils veulent faire partie des corps de cadets. Ils rêvent d'aventure et certains songent à être pilotes de réactés. L'idée de prendre des grades, ça les stimule!... Alors je me suis dit, mes élèves, ce sont des petits soldats du Christ. Tout le monde doit être soldat du Christ. Pourquoi ne pas utiliser une terminologie un peu (sic) militaire, pour les encourager, les «pepper». Heil Hitler, ça veut dire: Hitler le veut. Heil Christ, le Christ le veut! C'est un slogan comme un autre.

Le frère directeur intervient pour admettre que c'est «original», peut-être «osé» même, mais qu'il ne faut pas oublier que «les vertus militaires sont un facteur de virilisation.» Voilà donc un brave pasteur qui nous préparait en toute bonne conscience une génération d'hommes forts, des vrais, «sans peur et sans reproches».

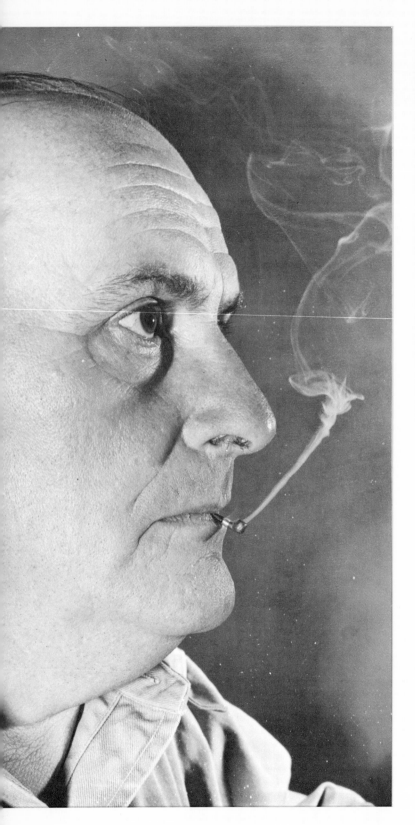

LA PIPE LA PLUS COURTE
Éliminée du concours de Fumeur de pipe, où en 1961,
le champion montréalais éteint la sienne à 78'10''.

*De g. à dr.: Yvon Dupuis, Huguette Proulx, Roger
Lamoureux et Alain Stanké.*

250 BOUGIES POUR LE CHÂTEAU DE RAMEZAY

Ne vous y trompez pas, cette photo n'a pas été prise
au 18e siècle! Et ce n'est pas Claude de Ramezay qui
reçoit, mais Me Victor Morin, président de la Société
d'Archéologie et de Numismatique de Montréal.

Le 27 avril 1705, Claude de Ramezay, gouverneur
de Montréal, signait le contrat de construction de
cette demeure, au milieu des attaques des Iroquois.
Elle devrait être suffisamment spacieuse pour abriter
sa nombreuse famille (seize enfants). 250 ans plus
tard, jour pour jour, on célèbre cette date
historique. Les festivités débutent par un concert
donné par le club de Musique Ancienne et Moderne,
avec Erich Herbst au clavecin. Des expositions sur
les activités canadiennes au 18e siècle: agriculture,
industrie, transport, seront inaugurées chaque mois
par les ministres provinciaux concernés, jusqu'au
grand bal historique donné le 23 septembre 1955.
Au son de l'orchestre de Maurice Meertre, les
danseurs de Morenoff ouvrent le bal: gavottes,
pavanes, menuets...

CATASTROPHE FERROVIAIRE À PIERREFONDS

Saint-Eustache - 16h55. Une centaine de voyageurs ont pris place dans les trois voitures de l'autorail qui part en direction de Montréal.

17h07. Un long convoi de marchandises, 55 wagons tirés par deux locomotives diesel, franchit le passage à niveau qui traverse le boulevard Gouin à l'entrée de Pierrefonds.

Une minute plus tard, les deux monstres d'acier se retrouvent face à face sur la voie unique. Les conducteurs ont le réflexe de serrer les freins de secours avant de sauter. Leurs deux machines se heurtent de front, se cabrent dans un jaillissement d'étincelles et un fracas insoutenable. En quelques secondes, ce ne sont plus que des amas de ferraille qui retombent sur le côté, entraînant dans leur chute la deuxième voiture de l'autorail et une bonne partie du convoi de marchandises.

Des dizaines de personnes horrifiées se précipitent hors du train. Beaucoup restent bloquées dans les wagons couchés sur le ballast, et il faudra parfois découper le métal tordu au chalumeau pour les en extirper.

Sans doute provoquée par une erreur d'aiguillage, c'est la pire catastrophe ferroviaire de l'après-guerre dans la région de Montréal. On n'ose pas songer à ce qu'elle aurait pu être sans le sang-froid des cheminots. Grâce à eux, la vitesse des trains était sensiblement réduite au moment de l'impact. Le tamponnement a quand même fait 79 blessés, dont cinq très grièvement, et un mort.

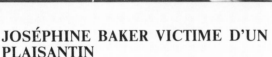

JOSÉPHINE BAKER VICTIME D'UN PLAISANTIN

Mais où est donc passée Joséphine Baker? Dans la salle du *Faisan Bleu*, à Saint-Martin, près de Montréal, la foule de ses admirateurs commence à manifester leur mécontentement. Une heure de retard déjà! Tous sont impatients de voir s'il est vrai qu'à cinquante ans elle a gardé cette voix et ces jambes qui ont fait d'elle la reine du Charleston. Les minutes passent. Une heure et demie de retard. Deux heures.

Coquetterie de vedette à succès qui veut se faire attendre? Pas du tout, Joséphine Baker ne viendra pas ce soir. Et pour cause! Elle vient d'être arrêtée dans sa loge et mise sous les verrous du Quartier Général de la Police Provinciale. De quoi l'accuse-t-on? Une simple bagatelle. Elle aurait, dit-on, volé les instruments et les costumes de scène de dix-sept musiciens américains. Un larcin estimé à 10 000

dollars, pas moins! Joséphine Baker ne sera relâchée que le lendemain matin, le cabaret ayant versé une caution de $1 000 et, surtout, les recherches du lieutenant Gérard Rivest et de ses détectives s'étant avérées totalement vaines.

On apprendra par la suite que la plainte provenait d'un ancien imprésario américain jaloux. C'était déjà lui qui avait fait arrêter la chanteuse quelques années plus tôt dans le port de Québec, alors qu'elle s'apprêtait à rejoindre la France. Pour un motif identique et tout aussi faux.

Malheureusement pour lui, le seul résultat de sa malveillance fut de mettre « à la une » de l'actualité le séjour québécois de la pétulante artiste qui, sans rancune, invita au moment de sa libération policiers et journalistes à « aller voir le meilleur spectacle de leur vie! »

« LES INSOLENCES » DU FRÈRE UNTEL

Coup de tonnerre dans le monde littéraire québécois et dans toute la province. Un certain « Frère Untel » vient de publier *Les Insolences*. Le succès est foudroyant. En quelques mois le tirage dépasse les cent mille exemplaires et les lignes ouvertes radiophoniques sont totalement bloquées. En quelques jours, le livre devient un véritable événement.

Ce qu'osent dire *Les Insolences*? Mais tout bonnement: « qu'il faut fermer le département de l'Instruction publique, tuer les curés, les professeurs et les ministres qui parlent joual, offrir Montherland aux conventions, libérer à coups de bélier les captifs de la peur québécoise, balancer par-dessus bord les cornettes des bonnes Sœurs et les bavettes des bons Frères. »

Quel est cet auteur révolutionnaire? Qui se cache derrière ce pseudonyme du Frère Untel? Surprise! Il s'agit d'un paisible religieux, Jean-Paul Desbiens, membre d'une communauté et chargé d'une fonction régulière dans une ville de province. « C'est un homme enthousiaste et simple. Il aime les choses et les mots savoureux. Je crois qu'il aime son métier d'enseignant, les garçons qu'on lui confie et dont il parle parfois rudement et même les autorités, cibles privilégiées de ses insolences; son goût instinctif le porte vers les gens simples, et peut-être, en particulier, les vieilles gens qui ne sont pas sortis de l'obscurité. » Tel est le portrait sommaire que trace de lui son préfacier, le journaliste André Laurendeau, rédacteur en chef du journal *Le Devoir*.

La bête noire du Frère Untel, c'est le joual... « Le mot est odieux, explique-t-il dans son livre, et la chose est odieuse. Le mot joual est une espèce de description ramassée de ce qu'est le parler joual. C'est précisément dire joual au lieu de cheval. Nos élèves parlent joual, écrivent joual et ne veulent pas parler ni écrire autrement. Le joual est leur langue. Les choses se sont détériorées à un tel point qu'ils ne savent même plus déceler une faute qu'on leur pointe du bout du crayon en circulant entre les bureaux. L'homme que je parler, nous allons se désabiller, etc, ne les hérisse pas. Cela leur semble même élégant! Le joual est une langue désossée: les consonnes sont toutes escamotées, un peu comme dans les langues que parlent (je suppose d'après certains disques) les danseuses des Îles-sous-le-Vent: oula oula alao alao. On dit: *chu pas capable* au lieu de: *je ne suis pas capable*; on dit: *l'coach m'enwelle cri les mit du gôleur* au lieu de: *le moniteur m'envoie chercher les gants du gardien,* etc. Remarquez que je

n'arrive pas à signifier phonétiquement le parler joual. Le joual ne se prête pas à une fixation écrite. Le joual est une décomposition; on ne fixe pas une décomposition... Cette absence de langue qu'est le joual est un cas de notre inexistence, à nous, les canadiens français. On n'étudiera jamais assez le langage. Le langage est le lieu de toutes les significations. Notre inaptitude à nous affirmer, notre refus de l'avenir, notre obsession du passé, tout cela se reflète dans le joual qui est vraiment notre langue. Je signale, en passant, l'abondance, dans notre parler, de locutions négatives. Au lieu de dire qu'une femme est belle, on dit qu'elle n'est pas laide; au lieu de dire qu'un élève est intelligent, on dit qu'il n'est pas bête; au lieu de dire qu'on se porte bien, on dit que ça va pas pire, etc... Mes élèves me disent « On est fondateur d'une nouvelle langue » ou encore « On fait rire de nous autres si on parle autrement, pourquoi se forcer pour parler autrement, on se comprend! »

Le Frère Untel, pour sauver le français qu'il aime ne se contente pas de vœux pieux... Il propose des mesures énergiques:

a) contrôle absolu de la Radio et de la TV. Défense d'écrire ou de parler « joual » sous peine de mort.
b) destruction, en une seule nuit, par la police provinciale (la Pépée à Laurendeau) de toutes les enseignes commerciales anglaises ou « jouales ».
c) autorisation, pour deux ans, de tuer à bout portant tout fonctionnaire, tout ministre, tout professeur, tout curé, qui parle joual.

LA PETITE VICTOIRE DE SARTO FOURNIER

Les partisans de Sarto Fournier ont beau crier de joie, en ce 27 octobre 1957, dans le hall de l'Hôtel de Ville de Montréal, il n'en reste pas moins que Montréal se retrouve avec un gouvernement municipal quasi impossible: le résultat est aussi bizarre que l'élection elle-même. Tout commence le 29 septembre 1957. Forts de leur victoire précédente, étoffée par leur campagne pour la moralité, Me Jean Drapeau et son équipe — dont Pierre Des Marais et Jean-Léon Z. Patenaude — sont devenus les maîtres de Montréal. Appuyé par « la patente », (L'Ordre Jacques-Cartier), les libéraux et *Le Devoir*, Drapeau s'est très vite opposé au gouvernement Duplessis: le plan Dozois de construction d'habitations reste en suspens. De plus, Maurice Duplessis soupçonne Drapeau d'avoir des ambitions provinciales. Bref, il y a un grand homme de trop...

Le 29 septembre, Me Drapeau lance sa campagne sur les chapeaux de roue: dans un discours tonitruant, il prêche la moralité, et avertit « les télégraphistes » des pires sanctions! Le soir même, la permanence de son parti est attaquée par des fiers-à-bras inconnus et son portrait — oh crime! — est arrosé de chop-suey. Du coup, les principaux membres de son équipe demandent une protection policière... Le hic, c'est qu'il a des opposants, mais pas d'adversaire. Il y a bien le Ralliement du Grand Montréal, dirigé par Lucien Croteau et Maurice Custeau, député unioniste, mais ils sentent bien qu'ils ne font pas le poids.

On essaie de convaincre le vieux Camilien Houde, mais en vain. En second choix, on arrive à décider Sarto Fournier. Ancien député libéral, bien que soutenu par les « bleus », il peut décrocher un bon paquet de votes « rouges »...

Aussi sec, Jean Drapeau sort son programme. Dans *Le Devoir* — qui le soutient — on sort le projet d'une Cité Famille et d'une Cité des Ondes qui, comme par hasard, devraient s'installer là où le plan Dozois doit s'appliquer, c'est-à-dire en bas de la rue Jeanne-Mance. La bagarre commence pour de bon quand le 6 octobre, Drapeau essaye de faire passer son projet au Conseil Municipal. Le conseiller Savignac proteste; même Nat Aronnof, qui est membre de son équipe, hurle. On se menace, et hop, Drapeau fait appel à la police pour sortir les récalcitrants de la salle. Pour faire bonne mesure, on sort aussi Lucien Croteau qui vitupère dans les tribunes du public... Le lendemain, tandis que *Montréal-Matin* accuse Drapeau de dictature,

Le *Devoir* traite Croteau et ses amis d'hystériques. La campagne est bien lancée...

Pour ce qui est des coups bas, on y va gaiement. Tandis que Pierre Des Marais, président du conseil exécutif, menace le chef de police Langlois, Drapeau et *Le Devoir* clament partout que la pègre est derrière Sarto et que s'il passe, Montréal va être livrée au crime!

De l'autre côté, on n'est pas des anges non plus! La « machine » de l'Union Nationale est en branle, le « dictateur » Drapeau est traité de tous les noms, on dénonce « la patente » qui agit dans l'ombre. Naturellement on chahute les réunions: cela fait partie du folklore... L'équipe Drapeau tente des offensives désespérées; à quatre jours du scrutin, elle annonce que Sarto Fournier se retire. Hurlements de celui-ci: c'est un mensonge! Enfin, la veille du scrutin, Jean L.-Z. Patenaude — pour mettre un peu d'ambiance sans doute — promet $100 à toute personne qui dénoncera des gens s'apprêtant à faire des fraudes électorales. Par l'argent alléchés, les dénonciateurs s'en donnent à cœur joie, on arrête même des travailleurs de l'équipe Drapeau! Le jour même du scrutin, le 27 octobre, *Le Devoir* met en manchette « Votez tôt! Votez Drapeau! Combattez la dictature de la pègre ». Il faut croire que les électeurs aiment faire la grasse matinée: Sarto est élu...

TROIS PIONNIÈRES DE LA POLITIQUE

En 1962, pour la première fois dans l'histoire du Québec, une femme fait partie du gouvernement. Deux ans plus tard, Claire Kirkland-Casgrain devient ministre des Transports et des Communications du cabinet Lesage. Les calomnies fusent, les médisants parlent même d'une liaison avec le premier ministre. Elle a la sagesse d'en rire. Ses qualités personnelles et sa formation suffisent amplement à justifier sa nomination: née en 1926, elle termine brillamment ses études de droit à l'université McGill en 1952. Fille unique du Dr Charles-Aimé Kirkland (député pendant vingt-deux ans et qui a mené une lutte farouche contre la pollution de l'eau, d'où le surnom de « Dirty Water Doctor » que certains lui donnaient), elle décide à la mort de son père de se présenter pour lui succéder dans le comté de Jacques-Cartier. Elle est élue avec une confortable majorité qui ne cessera de s'accroître, même lors de la défaite du parti libéral en 1966. C'est d'elle-même qu'elle décidera de se retirer de l'avant-scène politique en 1973, pour devenir juge et président de la commission du salaire minimum. Ce qui est remarquable, ce n'est pas tant qu'une femme ait pu assumer des fonctions traditionnellement dévolues au « sexe fort » (il n'y a rien là de surnaturel), mais c'est la lutte acharnée qu'elle a dû mener pour se faire accepter dans la fosse aux hommes, dans l'arène politique. Le moins qu'on puisse dire, c'est qu'elle n'y est pas bien accueillie par tout le monde. Elle va s'exposer aux insultes et aux attaques les plus basses!

Ses adversaires politiques ne prennent pas toujours la peine de lui opposer des arguments sérieux. Pour démolir les idées qu'elle défend, certains font preuve d'un sexisme outrancier et tentent tout simplement de la ridiculiser. En 1966, quand le ministre de la culture du gouvernement de Daniel Johnson l'accuse de n'être pas une femme, mais « une Gorgone », « une Agrippine » ou « une Médée », selon l'humeur, les députés de l'Union Nationale se délectent de ses indécences verbales et gloussent de satisfaction mal dissimulée.

Après douze ans dans la politique qui, selon elle, en valent au moins vingt dans les affaires, elle aspire à plus de tranquilité. Elle part sans regrets et fière d'avoir mené à bien une tâche ingrate. Certes, elle se réjouit d'avoir ouvert la porte des sphères gouvernementales aux femmes, mais ses victoires ne sont pas exclusivement féminines: entre autres, en tant que ministre du Tourisme, de la Chasse et de

la Pêche, c'est elle qui a organisé la convention de « l'American Society of Travel Agents » à Montréal en 1974, et qui a ouvert les clubs privés au grand public. Il est indéniable, toutefois, qu'elle a à améliorer le sort des femmes et qu'elle a permis des changements historiques dans les structures de la société québécoise, jusque-là rigoureusement patriarcale. Il y a eu d'une part, en 1964, le vote du « bill 16 », qui a libéré la femme du carcan napoléonien pour en faire, non plus une mineure irresponsable, mais un citoyen à part entière, juridiquement responsable de ses actes. « Avant cela, rappelle Claire Kirkland-Casgrain, au Québec, une femme ne pouvait même pas subir une opération sans le consentement écrit de son mari! » Et d'autre part, l'instauration du mariage civil et la libéralisation du divorce qui en a résulté. Ce sont à ses yeux des étapes importantes vers l'égalité des sexes, mais elle est bien placée —elle qui en a subi les manifestations subtiles et grossières— pour affirmer que la discrimination à l'égard des femmes est loin d'avoir disparu.

La meilleure preuve en est sans doute que dix ans après l'élection de Claire Kirkland-Casgrain, les femmes brillent toujours dans les hautes instances gouvernementales par leur quasi-absence. Elles y sont des perles rares, des exceptions, pour la plus grande joie des journalistes en mal d'imagination. Ainsi, lorsque Renaude Lapointe est nommée sénatrice par Pierre E. Trudeau en novembre 1971, la nouvelle fait la « une » des journaux. Pourtant, Renaude Lapointe a fait ses preuves comme journaliste au *Soleil* de 1939 à 1959 et à *La Presse* de 1959 à 1970 (elle fut la première éditorialiste du « deuxième sexe » au Québec). La première aussi au ministère des Affaires Indiennes où elle est nommée responsable de l'information en 1970 et, enfin, comme membre de la délégation canadienne aux Nations-Unies.

Et la nouvelle devrait surprendre d'autant moins que Renaude Lapointe va prendre la place d'une autre pionnière de la politique: Thérèse Casgrain, qui doit se retirer parce qu'elle a atteint l'âge de la retraite sénatoriale, 75 ans. Il est vrai que Thérèse Casgrain ne sera restée au sénat que neuf mois. Mais son entrée sur la scène politique remonte à 1928. Cette année-là, elle prend la tête des suffragettes québécoises et, lorsqu'elles obtiennent enfin le droit de vote en 1940, Thérèse Casgrain se trouve d'autres combats. C'est la guerre. Elle se lance dans la lutte contre la conscription. En 1942, ses quatre enfants commencent à être grands et elle se sent plus disponible. Elle se présente donc aux élections du comté de Charlevoix-Saguenay, où son père, Sir Rodolphe Forget, a longtemps été député conservateur, avant de céder la place à son gendre, le libéral Pierre Casgrain. Thérèse Casgrain se présente comme libérale indépendante. Elle écrira plus tard que tous ses adversaires étaient d'accord sur un point: ils n'allaient pas laisser une femme l'emporter! Elle est battue, comme les huit autres fois où elle se présentera. Mais il en faudrait plus que cela pour arrêter son élan, affaiblir sa détermination et la renvoyer à ses fourneaux! Faisant preuve d'une force de caractère et d'une indépendance d'esprit exceptionnelles, elle rompt avec toutes les traditions familiales pour adhérer au CCF en 1948. De 1951 à 1957, elle dirige la « Cooperative Commonwealth Federation » (aujourd'hui le NPD, Nouveau Parti Démocratique) et la représente lors de congrès socialistes en Allemagne et en Inde. Si elle est la première qui assume le rôle de chef d'un parti fédéral, elle n'en oublie pas pour autant les droits des femmes: c'est elle qui va fonder la section québécoise de la « Voix des Femmes » et la Fédération des Femmes du Québec.

En remontant dans l'histoire du Québec, on rencontre un grand nombre de femmes actives qui ont marqué la vie publique. Cependant, elles se sont longtemps placées sous la houlette du berger universel, se faisant les servantes du Bon Dieu et des hommes. Ce n'est que très récemment qu'elles ont décidé de se mêler de politique et d'élever la voix pour défendre leurs propres droits.

Grande soirée chez J.A. De Sève (au piano).

NAISSANCE DU « 10 »

Le 22 mars 1960, un permis est accordé à Télé-Métropole Corporation. J.A. Desève déclare: « Nous n'attendrons pas de gagner de l'argent pour donner de bonnes émissions. C'est dès la première journée que nous ferons tout notre possible. »

Et voilà le grand jour arrivé: ce dimanche-là, à 19h30, dans un rayon de 100 km autour de Montréal, tous les téléspectateurs francophones assistent au baptême du nouveau réseau. La cérémonie se déroule à un rythme enlevé, et à 20h, on passe à l'émission-clé de l'ouverture, « du Neuf au Dix! », un super-spectacle, avec 36 super-vedettes. Dans *Le Devoir*, Jean Tainturier écrit: « ce qu'on craignait s'est produit, les premiers pas du nouveau-né le portaient vers la facilité et la vulgarité. » Puis il examine « 10 sur 10 », une émission qui tend « vers l'infini de la nullité ».

Par contre, dans Radiomonde, Élaine Bédard a une attitude beaucoup plus compréhensive, maternelle presque: « Il faudra être gentil avec le 10. » Elle fait valoir que le poste privé donnera plus de libertés à ses réalisateurs, techniciens, etc. que le poste d'État. Elle y voit également des avantages pour les spectateurs et pour les artistes à qui s'ouvrent de nouvelles possibilités. « Quand le 10 sera grand, conclut-elle, on pourra le regarder avec sévérité. »

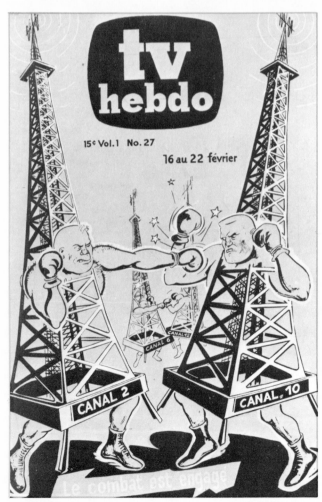

FINIRONT-ILS PAR S'ENTENDRE?

« Tourne la manivelle, la téléphoniste te répondra. »
Avec un peu de chance, elle sera aimable et vous
ferez même un brin de conversation. Et puis c'est
joli, ce téléphone ancien, comme dans les films de
Charlot! Pourtant, croyez-le si vous voulez, les
habitants de Repentigny n'en sont pas contents « pan
toute »!

En 1960, ils trouvent ce service désuet et coûteux.
Ils revendiquent leur droit à l'automatisation,
comme tout le monde! En 1959, le député de
Joliette-L'Assomption-Montcalm, M. Pigeon, avait
demandé au Parlement fédéral qu'on intervienne
pour que la compagnie Bell Canada « accorde un
service décent à Repentigny ».

Cette fois, la Chambre de Commerce de Repentigny
a adressé une lettre au ministre des Transports et
Communications, George Hees, pour réclamer une
enquête royale sur les services téléphoniques du
pays. Elle estime qu'il serait grand temps de réviser
la loi de 1880 (!) qui régit ce domaine. Les choses
ont bien changé depuis, sauf chez eux, peut-être, où
le téléphone à « brimbale » fait tout à fait
« d'époque ». Si le ministère ne fait rien, la Chambre
de Commerce menace de fonder sa propre
compagnie et de relier Repentigny à Montréal par
plus de cinquante lignes directes, de sa propre
initiative. Ah mais!

PETIT DÉJEUNER CHEZ MIVILLE COUTURE

Une émission comme il ne s'en fera sans doute jamais plus et qui porte le nom de son animateur: Miville Couture. Le don unique de Miville pour les langues étrangères en fait un Frégoli de la radio. Low High Fidelity, gentilhomme britannique plein de morgue, c'est lui! Prosper, un gavroche mal nourri, mal engueulé, sortant tout droit du faubourg à mélasse, c'est lui! Donat Dufour, un beauceron, père de Gédéon, leste, guilleret, c'est lui! Mohammed Ben Tutu, musulman et porté sur la bouteille, c'est lui! Roco Panini, l'italien de la rue Jean Talon, Wilbrod Charrette, le chauffeur de taxi, les frères Leboeuf, jumeaux et champions de catch, c'est lui, encore lui, toujours lui!

Miville Couture vient de la Beauce, une région riante, haute en couleur où le sens de l'humour et la joie de vivre sortent directement du terroir. Annonceur conseil à *Radio-Canada*, les épaules carrées, grand, robuste, élégant, courtois, le regard sévère, Miville Couture est en réalité un éternel mystificateur, aux plaisanteries parfois féroces. Ses têtes de Turc? Ses meilleurs amis: Paul Legendre, son réalisateur, Roger Lesourd, pianiste, Jean Mathieu, excellent imitateur et Jean Morin, filiforme et bourré d'humour, qui lui donnent la réplique en ondes, sans oublier, bien sûr, chargé de la bonne parole aimable, le Père Ambroise qui complète ce quintette d'humoristes.

Chez Miville, le public prend tous les matins son petit déjeuner. Pas besoin de donner le signal des applaudissements, ils fusent toujours spontanés et vigoureux. L'émission est menée tambour battant avec un tel succès qu'un envoyé de la grande revue espagnole met Miville en nomination pour le grand prix *Ondas*, en 1961.

En concurrence avec des vedettes internationales de la radio et de la télévision, Miville se voit décerner ce prestigieux trophée comme meilleur acteur fantaisiste international radiophonique.

« MONTRÉAL CONNECTION »

« Le colis arrivera le 23 mars 1965 à Dorval par le Bœing 707 d'Air France. Soyez prêts à l'accueillir. » Les douaniers de l'aéroport ont bien compris le message laconique de l'Interpol. Le jour convenu, ils sont sur les dents. Depuis 1962, la police new-yorkaise soupçonne Montréal d'être une plaque tournante du trafic de drogues. En 1965, la GRC (la Gendarmerie Royale du Canada) ne se contentera pas d'enlever du marché des milliers de gallons d'alcool frelaté et de saisir 43 alambics; elle mettra également la main sur plusieurs trafiquants de drogue, ainsi que l'explique le surintendant principal, J.-A. Thivierge: «Nos opérations de grande envergure remontent vraiment à 1964. Les membres du bureau des narcotiques des États-Unis, agissant de concert avec les membres de la Sûreté Nationale de France et nos policiers, ont réussi à mettre fin aux activités d'un syndicat international. À cette époque, deux «diplomates» sud-américains ont été arrêtés à New-York pour avoir participé à l'importation d'une importante quantité d'héroïne.

« En 1965, les polices conjuguées, française, américaine et canadienne, ont déniché un autre réseau, semblable à celui des «diplomates». Elles ont établi que les courriers avaient été recrutés parmi les employés d'Air France. Le dénouement s'est déroulé à Montréal, quand deux Français et un Canadien ont été arrêtés et accusés de possession de 18 kg d'héroïne. On a également mis la main au collet d'un steward d'Air France qui était en possession de 4 kg d'héroïne. De plus, dans une chambre d'hôtel, on en a retrouvé 13 kg additionnels. Ces deux importantes saisies semblent avoir complètement désorganisé le commerce des stupéfiants en Amérique du Nord. »

Mais le 23 mars 1965, le limier chargé de vérifier les colis qu'on transborde de l'avion d'Air France à bord de deux camions, manque tout bonnement de flair. Il a bien ouvert, par l'odeur alléché, des récipients de métal contenant des repas intacts ou des restes, mais la modeste boîte de carton enveloppée de papier jaune, qui portait l'inscription «Lot de Bord», ne l'a pas intrigué... Or, le procureur de la GRC, Me Pierre Lamontagne, et le juge Jean Tellier, ont la conviction, étayée de solides indices, que ce «petit colis» contenait vingt-quatre kg d'héroïne!

LE SORT S'ACHARNE SUR NICOLET

Samedi 12 novembre 1955. Dans sa cuisine, Mme Beaubien prépare le repas de midi. De temps à autre, elle jette un coup d'œil distrait par la fenêtre. Soudain, elle se frotte les yeux. Elle doit avoir des lubies: les pins du petit parc qui se trouve près de la rivière défilent un à un et disparaissent! Ahurie, elle s'approche de la fenêtre pour voir à leur tour la maison du Dr Georges-Étienne Roy et celle du Dr Moïse Vigneault glisser vers la rivière Nicolet. « J'ai cru que c'était la fin du monde! J'ai crié à mon mari de sortir au plus vite de la maison et je me suis précipitée du côté opposé à l'éboulement pour sortir dans la rue par la porte arrière. »

En quelques minutes, l'Académie Commerciale, une institution qui reçoit deux cent cinquante élèves pendant la semaine n'est plus que ruines, qui glissent vers le milieu de la rivière. Le père Foucault soupire: « C'est providentiel que le désastre se soit produit un samedi, journée de congé. Heureusement, aussi, il n'y avait que deux religieux dans cet édifice au moment du désastre. » L'un d'eux, le révérend frère Herménégilde, a été emporté. La cuisinière de

« Décidément, on ne s'en sortira jamais! » Le 31 décembre 1955, un incendie ravage l'Hôtel-Dieu de Nicolet.

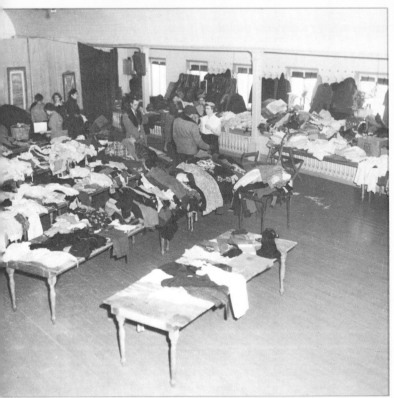

Novembre 1955. Les secours s'organisent.

l'Académie, Yvonne Boisvert, 60 ans, a également disparu avec le bâtiment. Son mari décrit ainsi ce qui s'est passé:

—J'étais dans la cour lorsque j'ai vu le garage de Georges Biron glisser vers la rivière. J'ai appelé ma femme pour qu'elle puisse voir le spectacle. Je ne craignais rien à ce moment-là, des glissements de terrain peu considérables s'étant déjà produits sur le bord de la rivière. Un instant après, je constatai que les arbres du parc commençaient également à bouger et que le sol glissait lentement à cet endroit vers la rivière. Je criai à ma femme que nous devions nous enfuir et je me dirigeai en courant vers l'entrée du pont. En quelques instants, l'immeuble s'est écroulé tout d'une masse, et le sol s'est affaissé. Je fus assez chanceux pour rester toujours quelques pieds en avant du précipice. À un moment donné, le sol s'effondrait de chaque côté, laissant une espèce de pointe, juste où je me trouvais, et ne me donnant que le temps de fuir. »

Dans le garage Biron, il y avait cinq personnes,

deux adultes et trois enfants. À bord d'un vaisseau improvisé, un morceau de dallage, ils ont parcouru près de huit cents mètres sur une mer de boue qui menaçait à chaque seconde de les submerger. Ils se sont ainsi retrouvés au milieu de la rivière où une embarcation les a recueillis. Au total, les dégâts matériels sont estimés à $10 000 000. Le maire, Ubald Caron, est découragé. En mars, déjà, la petite ville de Nicolet a été durement touchée par un incendie qui a ravagé tout son quartier commercial. Il avait été élu un mois plus tôt. «Il n'y a rien à faire, il n'y a rien que nous puissions faire...», répète-t-il, accablé par ce nouveau coup du sort. Les plus douloureusement touchés sont sans doute le Dr Lessard et son épouse qui ont perdu leur unique enfant, Jean-Pierre, un bébé de deux mois et demi. C'est la troisième victime de la catastrophe.

Toute la nuit, près du pont, au milieu des pins dressés ou couchés dans la rivière, les vestiges de l'académie commerciale et de l'évêché brûlent, éclairant le village sinistré et privé d'électricité d'une lueur lugubre.

Mars 1955. Conflagration à Nicolet. C'est le début de la série noire.

DEUX RICHARD À L'HONNEUR

Si les annales du hockey de la décennie 1950 ne devaient retenir que deux noms, sans doute choisiraient-elles Richard... et Richard! Maurice et Henri! Deux tempéraments qui ont donné au sport national québécois ses lettres de noblesse.

"BIENVENUE"
dit l'Indien à Frontenac.

"BIENVENUE"
dit le poste "RED INDIAN"
à l'automobiliste

Pour des milliers d'automobi-
listes canadiens, l'enseigne du
Red Indian est le symbole
d'une qualité supérieure
d'huiles et de carburants..d'un
meilleur service . . . d'une valeur supérieure. Où que vous
alliez aujourd'hui, vous serez
toujours à proximité d'un
poste Red Indian. Les grandes
routes du pays en sont jalon-
nées et tous, aujourd'hui et
toujours vous souhaitent la
"Bienvenue!"

Essence à Moteur
CYCLO GAS
(No-Knock)

Huile à Moteur
RED INDIAN

ESSENCE
MARATHON
"Hi-Test"

McCOLL-FRONTENAC

McCOLL-FRONTENAC OIL COMPANY LIMITED

Bureaux et usines à Montréal, Vancouver, Calgary, Regina, Winnipeg, Toronto et Moncton

Entrepôts de distribution commodément répartis entre diverses localités

40-4C

L'ÂGE D'OR DE LA PUBLICITÉ

Vous voulez savoir comment on devenait « publiciste » à la fin des années quarante? Après avoir raté son « cours classique », il ne restait à l'étudiant talentueux en zéro, qu'une seule profession noble: le journalisme...

Pourtant, j'aimais l'étude. À un point tel que j'ai « doublé » tous les ans à partir des Éléments latins jusqu'aux Belles-lettres. J'ai toujours été le plus grand de ma classe... Devenu journaliste, je ne devais le rester que le temps d'apercevoir un écriteau sur une porte, tout au fond de la grande salle de rédaction du journal, « Département de la Publicité ». J'ai dû me sentir comme Moïse devant le Buisson ardent en train de recevoir les Tables. C'était « l'appel de la vocation »!

Sans en savoir plus long que mon nez sur le sujet mais sans la moindre hésitation, j'allais devenir publiciste canadien-français. Aujourd'hui on dirait « publicitaire québécois ».

Il n'est pas difficile de décrire ce qui s'est passé en publicité française depuis la Confédération jusqu'aux années cinquante: il ne s'est à peu près rien passé...

Muni d'un vieux dictionnaire Harrap's, je me suis présenté, un beau matin, à l'agence Vickers & Benson, plutôt impressionné par ce bastion des derniers « rich merchants of Montreal » mais là, bien décidé à faire triompher les couleurs du « problem market », (c'est ainsi que l'on désignait le marché québécois). Mon patron était l'autre Canadien-français de la boîte, Roland Beaudry, un tocson, dont l'immense talent avait fait un « Kétif » hors pair. Il fût le premier des nôtres à occuper ce poste prestigieux dans une agence anglophone.

Cela fait légèrement prétentieux de le mentionner même en passant, mais je remplaçais, chez Vickers & Benson, Yves Thériault, qui depuis a poursuivi une brillante carrière d'écrivain; le futur auteur d'Agaguk, venait tout juste de remettre sa démission dans un laconique télégramme: «Roland (stop). Mange de la marde (stop).» J'en conclus que le milieu était vivant...

Mais le travail de traduction, le mot-à-mot au jour le jour, me barbait; la traduction publicitaire est désoeuvrante et asséchante pour le créatif; elle est complaisante pour tout un marché de consommateurs alors réduits à l'état de copie carbone et d'«inspirés des autres».

*« Les trois cloches »: Pierre Pelle-
tier, Jacques Bouchard et Paul
Champagne entourent Alphé
Gauthier dont la mise de fonds a
permis à la publicité québécoise
de prendre son essor.*

Mon maître à traduire, Roland Beaudry était assez inquiet de
mon attitude négative vis-à-vis de la traduction. Dans une
annonce pour les vins Jordan, faisant fi des règles d'or de la
traduction, j'avais substitué un quatrain de Verlaine — son éloge
à Bacchus — à celui d'un quelconque barde anglais. Le client était
furieux, le bureau de Toronto hurlait. Roland se mit à me
reprocher d'être entré à l'agence sous de fausses représentations:
hélas, il avait raison puisque j'étais traducteur et que je ne parlais
pas un traître mot d'anglais. Nous eûmes une dernière confronta-
tion à propos d'un slogan, genre: «C'est le pain qui fait la (ou le)
sandwich» et Weston Bakeries demanda mon retrait du compte.
Je dictais à mon tour un télégramme à celui qui devait néanmoins
rester longtemps «mon modèle» et mon ami: «Roland (stop.) Tu

On pourra faire encore de beaux voyages
par le Pacifique Canadien

Vous vous rappelez comme il était agréable de voyager sur les bateaux du Pacifique Canadien! Vous vous rappelez le confort de ces superbes paquebots, l'excellence de la cuisine, la perfection du service, la courtoisie du personnel et le charme de la vie à bord!

Il y a beaucoup à faire en ce moment pour rétablir les services d'avant-guerre, pour remplacer les navires perdus . . mais, quand on aura accompli cette tâche essentielle, vous pourrez de nouveau voyager avec agrément . . . comme vous étiez habitué de le faire par le Pacifique Canadien.

Bientôt, les paquebots de deux nouvelles flottes sillonneront les grands océans du globe . . et, alors, on pourra de nouveau se rendre de Shanghai à Southampton... exclusivement par le Pacifique Canadien.

Le Pacifique Canadien

ENCERCLE LE MONDE

peux relire le télégramme de Thériault (stop). » C'était l'atmosphère des « services français » (toujours singulièrement mis au pluriel) des agences anglophones vers 1950.

À cette époque proto-historique, la publicité en français balbutiait: on pouvait compter sur les doigts d'une seule main les agences à propriété canadienne-française; la Can-Ad des frères Fontaine (paradoxalement la plus ancienne agence de publicité au Canada) fort bilingue ou à certaines heures presque anglophone puis l'agence Huot, (que l'on disait appartenir à Duplessis) l'agence Payeur à Québec et quelques officines qui s'entredéchiraient pour le maigre budget des pastilles Valda et du sirop Lambert, (le rhume n'atteint guère qui emploie le sirop Lambert).

Le doyen des publicitaires, Yves Bourassa, affirme, preuves à l'appui, que la toute première campagne de publicité créée en français fût exécutée pour le compte du Ministère de la Défense Nationale en 1939. Il s'agissait de recruter des « kakis » pour outre-mer et j'imagine que la traduction de « There will always be an England... and England shall be free » devait manquer un peu d'empathie après les discours anticonscriptionnistes de Camillien Houde. À la hâte, on aurait créé une campagne de toute pièce sur le thème qui devait ressembler à: « Fils de découvreurs et de hardis marins, nos libertés sont menacées... Faites un beau voyage... etc. »

C'était l'époque des facéties juteuses et des personnages savou-

255

T'AS-PAS DÉJÀ OUBLIÉ, AVANT DE QUITTER TA MAISON DE VILLE POUR ALLER PASSER L'ÉTÉ À LA CAMPAGNE, D'AVISER DE TON DÉPART LE LAITIER ET LE PETIT LIVREUR DE JOURNAUX, COMME TA FEMME TE L'AVAIT BIEN RECOMMANDÉ-

ET, À TON RETOUR, APERÇU À LA PORTE TA CHATTE AVEC UNE NOUVELLE PROGÉNITURE---

ET TROUVE TON VESTIBULE ENCOMBRÉ DE PAPERASSES ET DE BOUTEILLES À LAIT---

24F

T'AS-PAS ESSAYÉ UNE **BLACK HORSE** EN ENTRANT ? ÇA CUIRASSE UN MARI CONTRE LES OBSERVATIONS MORDANTES DE SON ÉPOUSE.

TAS-PAS DÉJÀ RENCONTRÉ L'UN DE CES GAILLARDS QUI ONT TOUJOURS À VANTER LES MÉRITES DE QUELQUE NOUVELLE MARQUE DE BIÈRE- QUI S'ACCROCHENT À TA BOUTONNIÈRE POUR TE FAIRE L'ÉLOGE DE LEUR DERNIÈRE DÉCOUVERTE?

EN AS-TU DÉJÀ ÉCOUTÉ UN PENDANT QUINZE MINUTES, RÉPRIMANT TES BAILLEMENTS ET TON IMPATIENCE, CONVAINCU QU'ON PEUT DIFFICILEMENT T'EN MONTRER EN FAIT DE BIÈRE-

POUR TE SENTIR TOUT À COUP ENTRAINÉ ÉNERGIQUEMENT VERS UNE TAVERNE VOISINE ET ENTENDRE TON TYPE COMMANDER D'UN TON VAINQUEUR, "GARÇON, DEUX **BLACK HORSE**, ET EN VITESSE" QUAND TOUT LE MONDE SAIT QUE-

LA **BLACK HORSE** EST LA SEULE BIÈRE QUE TU BOIS DEPUIS DES ANNÉES! T'AS-PAS DÉJÀ FAIT CETTE AGRÉABLE EXPÉRIENCE? LE SOURIRE TE REVIENT ET TU SENS SUR LE CHAMP QUE TU AS TOUT DE MÊME AFFAIRE À UN CHIC TYPE.

Bien souvent, le français de la publicité laisse des plumes chez le traducteur!

reux. Nolin Trudeau était de ceux-là; ses conférences dans les cercles d'affaires de Toronto labouraient en terre ingrate mais avec une finesse et un esprit qui, dans le genre, n'ont jamais été dépassés.

J'ai vu, de mes yeux vu Paul L'Anglais, l'ancêtre de tous nos représentants de média, arracher veston, cravate et chemise et piétiner ses vêtements avec rage devant un client qui ne voulait pas admettre son point de vue. Je me suis interrogé longtemps sur le sens mystique de la danse du colporteur des séries radiophoniques «Grande soeur» et «Francine Louvain».

Chez les pigistes de la rédaction publicitaire, le crac était Jean-

François Pelletier; alliant un énorme talent à un tempérament de scie ronde, il ne concéda jamais la moindre virgule aux agences torontoises. Mais Jean-François, Marcel Paré et les quelques autres n'arrivaient pas à couvrir tout le champ de bataille; c'était l'époque où chaque publicitaire avait son sottisier de la publicité, un recueil de bourdes de traduction qui se situaient entre les aberrations les plus inimaginables et une pornographie qui aurait fait de l'Histoire d'Ô un conte de Perreault.

Aussi, Shell traduisit pour la Presse: « Lubrification service » par « Services lubriques ». Sous la photo d'une aguichante comédienne, une marque de sels effervescents traduisait son slogan: « Abbey's every morning », par « Abbey's tous les matins ». Dans « La Terre de Chez Nous », Ford voulant vanter la force des lames d'une sarcleuse mécanique traduisit: « Rigid stem cultivator » par

« Un cultivateur à queue rigide ». Ce qui fit pouffer de rire nos deux cents Cercles de fermières. La Sun Life (qui déjà faisait parler d'elle) remboursait une certaine prime « qu'à la condition que l'épouse ou son conjoint ait été sous les couvertures pendant au moins six mois avant la naissance. » Je vous en passe et des meilleures...

Cet immense éclat de rire des consommateurs canadiens-français, qui, on le sait, adorent le sucré et les calembours, annonçait la fin de la période moyenâgeuse de la publicité francophone que d'aucuns font remonter à 1763.

Trois événements, qui se précipitent dans le temps, vont venir

Les Disques Columbia
présentent
"WARSAW CONCERTO"
(Concerto Varsovie)

La demande du public a été si grande pour cette musique dramatique par le compositeur anglais Richard Addinsell, qui joua un rôle si important dans le film inoubliable intitulé "Suicide Squadron", que nous avons fait un disque spécial directement du film sonore. C'est donc la première et l'unique version authentique du "Warsaw Concerto" enregistrée sur disque. No C12014-12" — $1.00.

LES DISQUES
Columbia
sont faits au Canada à London, Ont., par

Sparton
La Voix Radiophonique la plus riche

CES PRODUITS Sparton REVIENDRONT APRÈS LA VICTOIRE

éclairer le fanal de la publicité québécoise; la venue de la télévision en 1952, le lancement du Publicité-Club en 1958 et la fondation de BCP Publicité en 1963.

La télévision, véhicule par excellence du verbe de la publicité et qui attend toujours le messie McLuhan s'accommode mal de la camisole de force de la traduction publicitaire, celle du mot-à-mot. Le réseau d'État veut créer ses propres émissions et n'a aucun intérêt à se laisser encadrer par la post-synchronisation des messages commerciaux américains et torontois.

Les publicitaires passent à l'attaque et à l'adaptation libre. C'est-à-dire que l'on ne traduira plus l'expression anglaise « Tom, Dick and Harry » par « Thomas, Richard et Henri » mais par « Pierre, Jean, Jacques ». Les publicitaires célèbrent cette première victoire au traditionnel « martini » dans plusieurs bars du quartier Peel et Sainte-Catherine.

Si la traduction est une fille de rue, l'adaptation est une courtisane. Sous ses allures de grande dame, elle sera plus enjôleuse et tout aussi vénale que sa collègue des réverbères; les clients anglais n'auront fait que changer d'adresse, du 312 Ontario, à une maison de rapport en bordure de Westmount. Les services français des agences torontoises sont divisés sur la question: « une bonne adaptation vaut-elle mieux qu'une mauvaise création française? »

Cinq ans plus tard, en '58 quand naîtra le Publicité-Club (après trois lancements avortés depuis 1940), les publicitaires francophones dont l'isolement et le solisme ont été le seul partage, vont réaliser qu'ils sont plus de 200 à souhaiter la même chose: une place au soleil.

« L'avenir de la publicité québécoise dépend de la création publicitaire québécoise, car seule la création est un événement économique et culturel dans notre propre marché. »

Cet énoncé de principe avait été formulé un an avant le lancement de l'association par sept ou huit publicitaires francophones dans un bureau discret de l'agence américaine J. Walter Thompson, à Montréal: les soeurs Mineau y étaient, aussi Caron, Tougas, Côté-Mercier, tous traducteurs publicitaires et tous un peu chamans.

Donc, la création serait l'explosion. Autour d'elle viendraient (forcément) se greffer des francophones de disciplines diverses, administrateurs, réalisateurs, compositeurs de jingles, spécialistes, de la recherche, des média, de la production graphique, etc... Le Publicité-club lança immédiatement son Concours annuel de la publicité française avec deux catégories de prix: adaptations et créations; presqu'aussitôt, avec l'aide des Hautes Études Commerciales, le club va inaugurer ce que notre publiciste appelait pompeusement « Le premier cours de publicité française en Amérique du Nord ». Gérard St-Denis en était le titulaire.

La réaction du milieu publicitaire anglophone à cette affirmation d'une publicité francophone québécoise oscilla entre l'étonnement et le doute malicieux. Pourtant le Publicité-Club deviendrait bientôt la plus importante association de publicitaires au Canada.

Sur l'élan du Publicité-Club et de la Révolution tranquille, l'agence BCP allait tenter, ce que l'on qualifiait, en 1963, de folie douce, la conquête des gros budgets nationaux en suggérant aux annonceurs d'avoir deux agences, une pour le marché anglophone

Pour vos repas des fêtes, un bon conseil de Juliette:

commandez dès maintenant votre dinde Deluxe

...et demandez au boucher la recette de

ma bonne farce!

pour une dinde du
POIDS EXACT
que vous désirez,
à la
DATE VOULUE.

et BCP pour le marché francophone. La proposition était simple: en anglais, on la baptisa « The twin-bed marketing technique », soit, dans les termes devancés du « 15 novembre », *l'association* de la chambre mais la *souveraineté* des lits.

L'épopée de BCP est celle de Bouchard, Champagne, Pelletier et Gauthier. À partir de « Lui y connaît ça », BCP va participer à la Renaissance de la publicité québécoise de trois façons:
— en faisant la preuve incontestable de la rentabilité pour l'annonceur « du principe des deux agences », et par conséquent, de la créativité de tous les « anciens traducteurs ».

263

— en formant ou en initiant à plusieurs disciplines de la communication, des centaines de jeunes Québécois.
— en défrichant le terrain pour les nouvelles agences francophones du Québec (c'est un fait nouveau qu'il existe trente agences francophones qui ont pu s'accaparer 90% des mises en nomination au concours de la publicité française 1979.)

Quand je parle de BCP, je frôle le péché de l'ange déchu, celui de l'orgueil. On aura vite compris que je prêche pour mon saint. Plusieurs publicitaires vous diront que le « bécépisme » est une religion: à preuve, les collaborateurs actuels et les anciens se réuniront au début de 1980 et ils seront trois cents, pour rendre hommage à celui qui les a tous un peu « bourassés », Yves Bourassa, qui après cinquante ans de carrière dont quinze passées à BCP, accroche les patins. Ce sera beau comme une messe.

Ainsi la Renaissance, période transitoire, aura duré à peu près vingt-cinq ans. Et elle aura assez duré.

Avez-vous déjà assisté à un lever de soleil sur notre grand lac Mistassini? La ligne d'horizon s'éclaire, les nuages rougissent, tout est prêt et ça y est... non ça n'y est pas! Il vous fait languir, joue avec votre patience, se moque de vous; et là, lentement, mais lentement, il daigne commencer à paraître... La publicité québécoise est un peu comme le soleil tardif du Mistassini. Cependant l'âge d'or est annoncé, la ligne d'horizon s'éclaire déjà.

Il me semble en effet que la publicité québécoise, durant sa Renaissance et depuis la Révolution tranquille, a récupéré passablement tout ce qu'elle avait à récupérer depuis les Albums de la Bonne Chanson de l'Abbé Gadbois, pendant les années soixante et après tous nos nationalismes avec des « banque d'ici », des « on est six millions » et des « hommes Ford du Québec ». Elle a récupéré et codé des aspirations; elle a remplacé les curés par des chaires électroniques plus près des gens et joué les sociologues en créant sa propre anti-publicité.

Il faut bien qu'elle passe à autre chose, qu'elle attende ou dépasse les Québécois, peu importe, mais qu'elle passe à autre chose. Comme l'avenir...

J'ai confiance dans le génie des jeunes publicitaires québécois, ceux qui créent des « on est six millions » et qui administrent comme pas un des Air Canada et des gros clients millionnaires et avec eux je continue de croire aux chamans de la Renaissance qui prédisaient, il y a vingt ans, que « la publicité québécoise viendrait de la création québécoise ».

264

J'ai confiance dans les femmes qui sont entrées en trombe dans le métier depuis dix ans: je parodie sans esprit le poète Aragon en affirmant « que la femme est l'avenir... de l'annonceur québécois ».

Je fais confiance à la nouvelle association des agences francophones; les présidents vont trouver leurs objectifs, leur vitesse de croisière et franchir ce que j'appelle « le mur des multi-nationales » ou la conspiration de la traduction torontoise qui, récemment encore alimentait notre sottisier avec le dentifrice CUE et le lait instantané PET.

Mais là, attention, agences francophones! Les mises en nomination du 20e concours du Publicité-Club sont révélatrices: les créations des agences francophones y figurent pour plus de 80% du total et cela constitue une nouvelle victoire, mais plus de 60% de ces mises en nomination le sont pour des campagnes de ministères ou para-gouvernementales. Je veux bien que nous soyons les champions de la communication sociale mais il faudra aussi que les agences francophones triomphent avec Coca-Cola et Chrysler.

Le soleil du grand Mistassini va bientôt se lever. Un événement important est annoncé qui me le fait croire. Il s'agit du « Colloque de l'Industrie de la Publicité québécoise » qui se tiendra en octobre 1979, et que présidera un des plus brillants publicitaires de notre milieu, Madame Thérèse Sévigny.

La publicité sera envisagée sous trois volets: 1. comme agent économique, 2. comme agent culturel, 3. comme agent de changement social. Sous l'égide du Publicité-Club, ce colloque réunira annonceurs et publicitaires, média et collaborateurs, autant les cinéastes que les artistes.

Ce sera l'aube de la publicité québécoise, l'étape soleil.

Les publicitaires de la première vague n'y seront pas tous, et je pense à Roland Beaudry, mon maître à traduire, Paul-Émile Corbeil, Hénault Champagne, Gaby Lalande, Eugène Côté, Nolin Trudeau et d'autres, mais pour nous de la Renaissance et ceux des temps nouveaux, ils seront bien là puisqu'ils nous auront permis de préparer l'âge d'or de la publicité québécoise.

Parce que le soleil capricieux du Québec finit toujours par se lever même si, comme les Québécois, il a cette manie de vouloir se distinguer un peu.

RADIO-CANADA EN COLÈRE

Ils sont combien? Six cents d'après la police, plus de mille selon le Devoir. Peu importe: sur les photos jaunies, apparaissent, côte à côte, des visages qui, plus tard, changeront l'histoire du Québec. Piétinant dans la neige et enfoncés dans leurs manteaux, voici Jean Marchand, Jean Duceppe, René Lévesque, Jean-Louis Roux, et tant d'autres qui plus tard diront: nous y étions.

Pour le moment, ils tournent en rond autour de l'ancien hôtel Ford sur le boulevard Dorchester où se tient le siège de Radio-Canada à Montréal.

Un tourniquet bien gardé.

Sur les pancartes brandies «Reconnaissance syndicale», «Nous voulons négocier». Tous ces artistes, ces annonceurs, ces réalisateurs que le public aime sont de «dangereux comploteurs»: c'est pourquoi on va les charger avec les chevaux de la Gendarmerie Royale, à la demande du chef de police Langlois: il a été averti qu'il y avait un complot, dit-il aux journalistes et les coups feront beaucoup réfléchir...!

Tout commence le lundi 29 décembre 1958. Après des mois de palabre, les soixante-quinze réalisateurs de la chaîne française se mettent en grève: ils veulent avoir leur propre syndicat qui jusqu'à présent, est dirigé de Toronto. Naturellement Radio-Canada refuse. Alors ils descendent dans la rue.

À l'appel de Jean Duceppe, président de l'Union des Artistes, les artistes refusent de franchir les lignes de piquetage; et les réalisateurs suivent...

À la télévision, on présente des films, et on s'excuse: «Nous avons des difficultés temporaires». Les fêtes se passent ainsi.

Le 3 janvier 1959, un semblant d'espoir: la direction de Radio-Canada, dont les chefs sont Alphonse Ouimet et M. Dumont-Frenette, consent à recevoir les dirigeants — Fernand Quirion et Jean Marchand — pour discuter du statut. C'est simplement pour leur dire: vous rentrez sans conditions; ceux qui ne franchiront pas les lignes de piquetage seront considérés comme absents sans permission. Point! On enverra des lettres de menace à certains...

L'affaire commence à prendre une ampleur nationale: le CTC propose un compromis boiteux, puisqu'il est en cause et qu'il voit d'un mauvais œil ses syndiqués passer à une autre centrale. Mais Radio-Canada dit non...

La police n'impressionne pas beaucoup le monde du spectacle, pourtant ce jour-là 20 d'entre eux vont être arrêtés pour avoir « troublé la paix ».

Pour appuyer les grévistes, a alors lieu un spectacle exceptionnel à la Comédie Canadienne rue Sainte-Catherine: il y a tellement d'artistes qui y participent qu'il vaut mieux n'en citer que les organisateurs: Jean-Louis Roux, Jean Doat, Pierre Thériault, Normand Hudon, Émile Genest, Paul Guévremont, Jacques Languirand. «Difficultés temporaires» a un succès boeuf... Peu importe, Radio-Canada ne veut rien savoir...

C'est en vain que les réalisateurs ont fait appel à Diefenbaker lui-même, puis ensuite à Michael Starr, son ministre. Réponse: Radio-Canada fait ce qu'il veut. Les jours passent...

Le 20 janvier, les réalisateurs proposent même un arbitrage fait par un juge de la Cour Suprême. Non répond Radio-Canada qui déclare «si le 22 janvier, les grévistes ne rentrent pas, nous ferons les émissions sans eux et nous recommencerons, en les mettant à pied». Il y a une unité syndicale, c'est tout. Pourtant, comme déclare René Lévesque, l'annonceur-vedette, dans le Devoir «La légalité n'est pas toujours la justice».

L'épreuve de force continue, à la grande joie des journaux anglais, en particulier le Montreal Star, qui fustige les grévistes. On va même manifester devant le Parlement à Ottawa, bien respectueusement, avec des écriteaux en anglais. Ottawa est sourd!

Comme se demande André Laurendeau dans le Devoir le 25 «Avons-nous des députés à Ottawa?»...

En début de février «ça passe ou ça casse» dit-on sur les rangs du piquet: on recommence à prendre langue avec la partie patronale. Laquelle parle sans négocier, tout en négociant sans s'engager! Bonne chose, pense-t-on. À défaut de reconnaissance de «jure» il y a celle «de facto».

Quatre jeunes filles employées à Radio-Canada applaudissant à l'annonce de la grève. La seconde en partant de la gauche est Hélène Pilotte, devenue 15 ans après une de nos plus brillantes journalistes. Elle mourra en 1975 des suites d'une longue maladie.

Vaincre ou dormir.

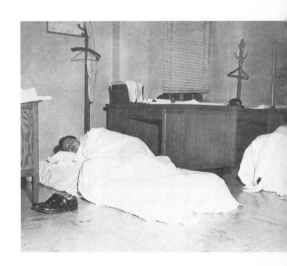

Jacques Languirand, Pierre Thériault et Roger Baulu sont venus consulter la presse chez le réalisateur de « Votre Soirée du Hockey », Gérald Renaud.

Mais en réalité, en négociant avec les syndicats, à la pièce, on défait le front petit à petit. Le 23 février, Radio-Canada signe le renouvellement des conventions avec les grands IATSE, NABET puis ANG, avec même un protocole de retour au travail. Puis, avec les artistes et les auteurs... et au dernier moment, Radio-Canada refuse de reconnaître l'affiliation des réalisateurs. On en revient au même point!

Malgré les efforts du syndicat. Signons d'abord, discutons ensuite, dit-il, la situation empire: les manifestations succèdent aux manifestations. C'est alors que le « complot » est découvert et que le 2 février, avec la bénédiction des journaux anglais, la Gendarmerie Royale charge les « dangereux » manifestants...

Une vague d'indignation soulève toute la province: à qui fera-t-on croire que Jean Duceppe, ou René Lévesque sont de redoutables terroristes, ou que M. Surprise est un comploteur?

Vaincu par l'opinion publique qui s'indigne du sort que l'on fait à ses héros, Radio-Canada finit, le 8 mars, par signer la reconnaissance du syndicat. Les réalisateurs entrent la tête haute, ramenant, comme dit René Lévesque, « Radio-Canada sous le bras »...

Les conséquences de ce conflit banal — parce qu'après tout, matraquer les grévistes était monnaie courante en ce temps-là — sont énormes.

André Hébert, après trois mois de grève a fait ami-ami avec un gréviste de poids.

Pour la première fois, des créateurs ont pris conscience de la dimension politique d'un conflit: appuyés par les journaux français, ils ont été combattus par les journaux anglais. Leur grève était minime, aux yeux d'Ottawa, parce qu'elle ne touchait que le réseau francophone: les gens n'avaient, dans leur esprit, qu'à regarder le canal anglais!

Enfin, brusquement, une certaine élite québécoise prend conscience d'un côté du fédéralisme et ce côté est anglophone. De cette prise de conscience, découlera l'engagement sur divers fronts, et sous forme d'affrontements quelquefois fratricides, de Jean Marchand, Gérard Pelletier, Jean Duceppe et René Lévesque pour ne citer que les plus connus... Les uns croiront en la conquête du pouvoir par les francophones à Ottawa; les autres qu'il faut le ramener au Québec...

Et les discussions restent ouvertes...

UNE RÉVOLUTION NOMMÉE PARENT

Petite cause, grands effets: les révolutions durables commencent souvent par des événements qui tiennent de la routine. Ainsi, peu de gens, et surtout dans le cabinet de M. Jean Lesage, alors régnant, auraient pu croire que le 24 avril 1961 serait une date fatidique dans l'histoire du Québec, à cause des répercussions à long terme (dont nous vivons encore les conséquences) qu'une décision du gouvernement allait entraîner.

Ce jour-là, monsieur Jean Lesage annonçait la création d'une commission royale chargée d'enquêter sur l'enseignement, plus connue sous le titre de *Commission Parent*.

Il faut dire que la révolution tranquille battait son plein; c'était l'époque des grandes remises en question. L'enseignement d'alors étant à la fois religieux et privé, coûteux au secondaire et à l'universitaire, tout le monde demandait une réforme ou des changements, sans que personne ne soit d'accord avec son voisin. Les uns voulaient l'augmentation des bourses de l'État aux étudiants; d'autres réclamaient —surtout par la voix du Mouvement laïque de langue française dirigé par le Dr Mackay — soit la laïcisation de l'enseignement (une monstruosité à l'époque!) soit la création d'un secteur neutre (une hérésie!).

Un troisième groupe préconisait la création d'un réseau d'État, tout neuf, d'écoles et de collèges, réseau qui ferait concurrence au secteur religieux. Un quatrième groupe demanderait l'extension du système avec l'aide de l'État. En plus, dans toutes ces écoles de pensée, il y avait des tendances, des sous-groupes, des nuances et des dissidences!

Un vrai capharnaüm!

C'est d'un voyage d'études en Europe que revient Mgr Alphonse-Marie Parent, en ce printemps 1963.

Les membres de la Commission Parent en 1961: John McIlhone, David C. Munroe, Mgr Alphonse-Marie Parent, Gérard Fillion, Sœur Marie-Laurent de Rome, Guy Rocher et Paul Larocque.

Enfin, tout le monde critiquait le département de l'Instruction publique, formé surtout par les évêques de la province: les uns y voyaient un instrument dictatorial et réactionnaire, les autres un organisme envahi par le laxisme et la modernité!

Chaque tendance, ou presque, avait l'oreille ou la sympathie d'un ministre ou d'un député ministériel: si le cabinet était solidaire, c'était bien sur le fait qu'il n'était pas unanime! Une semaine avant la création de la commission, René Lévesque (alors ministre des Richesses naturelles et trouble-fête attitré) n'avait-il pas déclaré, le 14 avril, au Club de la réforme de Montréal: « La situation dans l'enseignement au Québec est une honte! On ne dépense à ce chapitre que $18.00 par personne alors qu'en Alberta et en Colombie-Britannique on en consacre $60.00! »

Bref, il fallait faire quelque chose. Et vite! C'est pour cela que l'on nomma une commission d'enquête avec les objectifs les plus larges. À vrai dire, la solution n'avait pas très bonne réputation. À l'époque — il est vrai que ce fut souvent justifié! — on disait que, pour se débarrasser d'un problème, il n'y avait qu'à le repasser à une commission royale. Le temps qu'elle fasse son rapport, et quelques années plus tard tout le monde avait oublié de quoi il s'agissait!

Pour tenir compte du climat dans lequel on vivait, on nomma neuf commissaires dont le curriculum vitae offrait toutes les garanties de compétence. Et surtout de respectabilité...

À tout seigneur, tout honneur: le président de la Commission, Mgr. Alphonse-Marie Parent, était l'oiseau rare, ayant acquis dans une double carrière —tant dans l'enseignement que dans la hiérarchie catholique— tous les honneurs le rendant inattaquable. Côté universitaire, bardé de diplômes, il avait été tour à tour professeur, doyen de faculté, président de la Fédération nationale des universités canadiennes; vice-recteur de l'université Laval. Côté Église, sans être évêque, il faisait partie de la crème de l'ecclésiat: en 1946, Rome l'avait nommé camérier secret du pape Pie XII, et en 1949 il devenait prélat domestique dudit. Bref, un homme qui devait avoir, en principe, ses petites et grandes entrées au Vatican.

Ce qui, dans le Québec d'alors, lui donnait une autorité quasi indiscutable.

La deuxième vedette était Gérard Fillion, directeur du *Devoir*: autre institution sacro-sainte! De plus, il avait été commissaire d'école à Chambly et avait même écrit un livre sur son expérience.

Enfin, le reste de l'équipe était à l'avenant: Révérende soeur Marie-Laurent de Rome, professeur de philosophie et de religion au collège Basile-Moreau (le collège de l'élite!); madame Jeanne Lapointe, professeur à la faculté des Lettres de Laval. Tandis que l'université de Montréal, éternel parent pauvre, était représentée par un jeune homme dont on disait beaucoup de bien: Guy Rocher, directeur du département de Sociologie. Pour la partie anglaise: David Munroe, doyen de faculté à l'université McGill et John McIlhone, directeur adjoint de la commission des Écoles catholiques de Montréal. L'industrie privée figurait en bonne place avec Paul Larocque, de la société Alcan, tandis que l'oeil du gouvernement était assuré par un conseiller de Paul Gérin-Lajoie, ministre de la Jeunesse, Arthur Tremblay.

Bref, des notables qu'il aurait été saugrenu de soupçonner d'idées anarchiques ou mal-pensantes! À tel point, qu'il faut bien avouer que leur nomination ne souleva pas l'enthousiasme parmi la contestation avancée.

Rapidement, la commission se mit au travail et commença ses auditions. En moins d'un an, elle fut presque submergée par des mémoires (349), des interventions et des audiences, sans oublier les articles de journaux.

Le tout avec un intérêt décroissant, à mesure que le temps passait. Qui plus est, lorsque la commission se mit à voyager en Europe et en URSS (« Monseigneur chez les rouges », titra un journaliste), puis à travailler dans l'ombre, certains groupes pensèrent qu'il valait mieux continuer à agir sur la place publique, réclamant presque sur l'air des lampions, un ministre de l'Éducation.

C'est alors que M. Jean Lesage, en 1962, recevant un doctorat « honoris causa » à l'Université de Sherbrooke, déclara avec sa belle voix de basse-taille: « Jamais l'État ne créera de ministère de l'Éducation. » Le malheureux! Il faut dire, à sa décharge, qu'une élection était sur le point d'être déclenchée. Les groupes religieux qui tenaient « mordicus » pour l'école confessionnelle, et qui se sentaient agressés, avaient encore un certain poids sur l'électorat. Or ils avaient une fâcheuse propension à voir, dans le cabinet de monsieur Lesage, des nuances « socialistes », en la personne des Kierans, Lévesque et compagnie... Il fallait les rassurer!

Bref, le temps passa. Ce fut presque dans un climat d'indifférence ou d'ignorance que l'on annonça, dans les journaux, le dépôt du premier rapport de la Commission Parent pour le 22 avril 1963.

Pourtant, ce fut un coup de tonnerre dans un ciel bleu!

En effet, les dignes commissaires recommandaient la création d'un ministère de l'Éducation nationale; la fusion (autrement dit la disparition) du département de l'Instruction publique et du ministère de la Jeunesse; la création d'un Conseil supérieur de l'éducation de 16 personnes, où les évêques se voyaient réduits à la portion congrue au bénéfice des grands fonctionnaires; la création de deux sous-ministres (un pour les protestants, un autre pour les catholiques); le contrôle de l'éducation par trois grandes sections: une pour les programmes, une autre pour l'administration, la troisième pour les plans et le regroupement des commissions scolaires en de grandes unités. Le tout avec une direction décentralisée.

La Commission royale d'enquête est aussi fermement défendue par son vice-président, Gérard Fillion.

Une certaine stupeur frappa tout le monde: ceux qui avaient mis en doute la commission à cause de sa composition, les associations religieuses qui lui faisaient confiance pour la même raison, et même le gouvernement dont le chef Jean Lesage se voyait en quelque sorte désavoué par la bande, après sa belle déclaration de Sherbrooke.

Situation ambiguë dont Mgr Parent se tira avec élégance, lors d'une entrevue à la télévision. « Monsieur Lesage, dit-il, est assez homme d'État pour savoir que souvent on est obligé de revenir sur ce que l'on dit. »

Dans les jours qui suivirent, le brouhaha et les commentaires furent tels que le gouvernement annonça une session spéciale de l'Assemblée nationale sur le rapport Parent en novembre. Mais entre-temps, on fut étonné de voir la réaction presque passive, à un ou deux évêques près, de l'ensemble de la hiérarchie. Le 26 juin 1963, le gouvernement Lesage déposait à l'Assemblée le projet de loi No. 60 pour la création d'un ministère de l'Éducation qui établissait « que tout enfant a le droit de bénéficier d'un système d'éducation qui assure le plein épanouissement de sa personnalité ». C'était la démocratisation de l'enseignement.

En gros, ce projet, qui fut surtout discuté en novembre, reprenait les principales lignes de la Commission Parent. Il fut légèrement modifié en commission parlementaire, mais la révolution scolaire était en marche...

Par la suite, vint le dépôt des autres rapports, aussi importants et qui eurent moins d'impact que le premier: le 19 mars 1964, Paul Gérin-Lajoie devint le premier ministre de l'Éducation au Québec. Le 13 mai, le département de l'Instruction publique était dissout et en septembre commençait l'opération 55, pour regrouper les commissions scolaires.

En moins de deux ans, plus de 300 ans d'éducation furent totalement transformés.

Ajoutons, pour la petite histoire, que les grandes vedettes de l'opération, Mgr Parent, Gérard Fillion et Révérende Soeur Marie-Laurent de Rome, dont tout le monde parlait, se retirèrent discrètement ou presque de la scène politique. Par contre, deux des membres dont la présence passa presque inaperçue connurent des carrières solides: Arthur Tremblay devint sous-ministre (catholique) de l'Éducation, à titre quasiment inamovible, à tel point que Daniel Johnson (qui l'avait traîné dans la boue en 1966 sous la pression des groupes qui l'accusaient de mener « l'école chez le diable » et de « sortir le christ des écoles »)... le confirma dans son poste, sitôt au pouvoir!

Quant au jeune professeur Guy Rocher, il devint un des « mandarins » des gouvernements: ce fut l'auteur du rapport sur Radio-Québec, et un des maîtres d'oeuvre du fameux rapport sur la politique québécoise du développement culturel en 1978.

Les représentants de quarante organismes se réunissaient le 15 février 1965 pour étudier le rapport Parent.

FOLIE SOUS LES BARREAUX

Trois prisonniers blessés, dont un dans un état grave. Le bilan de l'émeute qui s'est produite à la prison de Bordeaux, dans le nord de Montréal, aurait pu être beaucoup plus lourd. Depuis quelques temps, les détenus se plaignent des mauvais traitements arbitraires que certains gardiens leur infligent, et de la nourriture qu'on leur sert au réfectoire.

La révolte a détruit les pierres mais pas les barreaux.

Mercredi 26 juin 1960. Le souper s'est déroulé sans incident. La soupe aux pois n'était pas meilleure que d'habitude; pas pire non plus. Les détenus sortent du réfectoire en traînant les pieds. Rien d'anormal. Soudain, c'est la provocation! Trois hommes brandissent des bâtons qu'ils dissimulaient sous leurs vêtements. Sur le coup, le gardien recule, mais, comme ils continuent d'avancer vers lui, il tire quelques coups de semonce pour les intimider. C'est assez pour mettre le feu aux poudres! La rogne des derniers jours jaillit, déborde, se libère dans un déferlement de colère que les gardiens, pris par surprise, sont impuissants à endiguer. Ils se contenteront de tirer afin d'arrêter ceux qui tentent de sauter le mur d'enceinte du pénitencier, haut de 9 mètres.

Pendant plus de deux heures, c'est le délire, c'est la fête. Feux de joie. Une guérite brûle, puis une clôture. Pour allumer ces incendies sans gravité que les pompiers n'auront aucun mal à éteindre, les prisonniers ont utilisé des documents médicaux.

Finalement, le chef des gardes va apaiser, sans la moindre difficulté, ce vent de folie qui s'était emparé de sa section... réservée aux malades mentaux!

À part les trois candidats à l'évasion qui ont été conduits à l'hôpital Saint-Luc (deux blessés par balle et un qui s'est foulé les chevilles en sautant un mur) les détenus, toute rage bue, ont regagné docilement leurs cellules, en demandant toutefois qu'on prête désormais une oreille plus attentive à leurs réclamations.

Le mardi suivant, à midi, de nouveaux troubles éclatent. Cette fois, les autorités pénitentiaires font appel à la Sûreté de Montréal. Trente voitures et une centaine d'hommes arrivent à la rescousse. L'ordre est rétabli très vite. Vingt prisonniers, qui viennent de subir leur enquête préliminaire, passeront quand même la nuit dans les cellules du nouveau Palais de Justice, et ne seront conduits à Bordeaux que le lendemain après-midi. Aucune autre information ne filtre hors des murs de la prison. Pourtant, l'opinion publique commence à s'émouvoir. En 1959, les Éditions de l'Homme ont publié « Scandale à Bordeaux », un petit livre où Jacques Hébert souligne « les responsabilités de la société à l'égard de la jeunesse délinquante », et dénonce un système judiciaire qui détruit des êtres sans y attacher d'importance.« Je veux surtout jeter un peu de lumière sur le scandale permanent de la prison de Bordeaux et, en particulier, de son hôpital. »

L'image de l'ordre et de la force.

Évasion facile... George Starnino a vingt-sept ans. Il a été condamné à quinze ans de pénitencier à la suite d'un vol de $100 000 commis en 1959 à la banque Provinciale du Canada. Le 16 septembre 1961, il franchit sans encombre les barrières principales de la prison grâce à une fausse carte de visiteur. Retrouvé quelques semaines plus tard à la prison d'Oakala, près de Vancouver, il comparaît devant le juge Guy Guibault. Un garde avoue candidement qu'il a cru l'apercevoir au moment où il allait sortir. « Je suis allé au donjon, pour m'informer s'il était là, en disant « Je crois qu'il s'est évadé ». Je ne l'ai vu que de dos. Ce qui explique que je n'étais pas sûr de son identification, c'est que, préalablement, je ne l'avais vu que couché dans un lit. »

Y a-t-il vraiment des prisons meilleures que d'autres? Starnino affirme qu'il n'a pas peur de retourner à Bordeaux, mais qu'il ne sait pas ce qui peut arriver s'il fait l'objet de mauvais traitements... « Peut-être un meurtre! » Son avocat, Me Gagnon, déclare: « Startino a été confiné dans une cellule à plusieurs reprises depuis mars... Je crois, Votre Seigneurie, qu'il vaudrait mieux qu'il soit envoyé à Saint-Vincent-de-Paul » Une longue discussion

s'engage. Le juge Chevrette n'a pas l'intention de réserver une chambre « au Reine Elizabeth » pour Starnino. En attendant son procès, Starnino reste dans les cellules de la police provinciale.

Mercredi, 15 novembre 1961, quatre hommes, Claude Wagner, André Houle, Raymond Samson et James Penney comparaissent devant le juge Gérald Almond, à la suite de ce que les autorités de Bordeaux ont appelé « une manifestation sans grande importance ». Dans les bancs des témoins, une jeune femme s'écroule. C'est le femme de Penney. Elle est transportée d'urgence à l'hôpital Royal Victoria, où elle mettra au monde son premier enfant. Le juge accorde un sursis à Penney et décide de remettre le procès au 19 décembre. C'est alors que Claude Wagner se lève. « Sortez-moi de là, je ne peux plus y rester! » Il révèle que les gardiens ont jeté une dizaine de bombes lacrymogènes dans le « trou » (les cellules d'isolement), où l'émeute avait débuté.

Le juge l'écoute. « C'était terrible. Il y avait des juvéniles qui ne comprenaient pas ce qui se passait et appelaient leur mère au secours. » « Aviez-vous fait quelques chose pour qu'on vous confine au donjon? » « Je vous jure que je n'ai rien fait! Mais si

286

vous voulez savoir ce qu'on m'a fait, par contre, pour cela, je peux vous en conter très long... C'est depuis samedi que j'ai le nez brisé et la mâchoire fracturée. Mais c'est hier seulement qu'on m'a promis que je pourrais passer une radiographie. Mais, en attendant, je ne peux rien manger, je n'ai reçu ni soins, ni médicaments. Depuis plusieurs jours, nous sommes au pain et à l'eau dans le « trou ». Et comme on nous a enlevé nos couvertures, c'est sur le fer que nous avons couché hier soir. Chaque fois que nous relevons le couvercle de notre toilette, dans notre cellule, il en sort un ou plusieurs rats, gros comme des chats. J'ai moi-même été mordu, il y a deux jours... (alliant le geste à la parole, il relève son pantalon et montre sa jambe.) Tiens, voilà la preuve, regardez... Et puis, si vous en voulez une autre preuve, je vous apporterai mes sous-vêtements, qui sont tout imbibés de sang. Lorsqu'un détenu proteste, on lui répond invariablement: « Tu n'es qu'un prisonnier, ici. Tu n'as aucun droit. Même si nous ne sommes que des prisonniers, il me semble que quelqu'un devrait au moins écouter ce que nous avons à dire, à la fin... »

Que va-t-il résulter de ces mouvements de révolte chez les prisonniers? Le jeudi 30 novembre 1961, on annonce une vaste

réorganisation à la prison de Bordeaux. En fait, les changements n'affecteront que l'administration: le lieutenant-colonel Charles Gernaey ayant démissionné, il est remplacé par le lieutenant-colonel Léon Lambert, qui vient de mener une enquête de plusieurs semaines sur l'institution. Aussitôt, le nouveau directeur annonce un renforcement de l'autorité à la prison et la nomination de soixante-quinze nouveaux gardiens. « Toutefois, note le procureur général, Georges-Émile Lapalme, parmi les soixante-quinze personnes désignées pour occuper ces fonctions, un certain nombre ont refusé l'offre parce qu'elles trouvaient ailleurs des positions plus lucratives. » Aussi espère-t-il que la « nouvelle échelle des salaires sera approuvée dans les jours qui viennent », car c'est, selon lui, la principale difficulté à Bordeaux.

Daniel Johnson promet d'y apporter des remèdes, s'il est élu. « Aussitôt que nous aurons nettoyé la situation financière de la province, le projet de construction d'une nouvelle prison ailleurs qu'à l'endroit actuel aura priorité. Les gens de Bordeaux aimeraient bien voir disparaître la prison de leur voisinage, surtout depuis qu'elle est le théâtre d'émeutes continuelles. »

Élu premier ministre, Daniel Johnson n'aura pas le temps de tenir ses promesses électorales. Il meurt brutalement. Le 28 septembre 1967, la CSN remet un mémoire à la commission d'enquête Prévost sur la justice au Québec: « Le sous-sol est une cave humide où est installé le « donjon » (ou le « trou »), qui comprend dix cellules d'isolement pour les cas agressifs ou « dangereux ». Dans ces cellules, il n'y a ni lavabo, ni toilette, mais seulement des trous dans le plancher. Et ces trous sont souvent bloqués. On peut facilement imaginer l'état des cellules et l'odeur qui s'en dégage. C'est au sous-sol, aussi, qu'il y a le plus de rats, de coquerelles et de punaises. Et quand il y en a trop, une équipe spécialisée fait à l'occasion une tournée de l'institut pour exterminer toute cette vermine. »

Et la description cauchemardesque se poursuit... « les murs sont délabrés, les planchers sont en asphalte sur trois étages et la chaleur est telle que les meubles métalliques s'y enfoncent, etc. Quand un employé déplore l'insalubrité des locaux et les conditions de vie inhumaines qui sont imposées aux détenus, ses supérieurs répondent qu'ils ne peuvent rien changer dans les vieux locaux de la prison. L'institut Pinel doit en effet déménager d'ici deux ans. »

Deux ans dans de telles conditions, c'est bien long!...

LE SECRET DE DANIEL JOHNSON

Ce jour-là, le Québec du pouvoir campait à la Manicouagan. Ministres, députés de tous les partis, personnalités et hauts fonctionnaires, sans oublier l'évêque de rigueur, s'entassaient tant bien que mal dans les camps de roulottes et les baraquements tout autour du grand barrage. La présence des journalistes et des caméramen venus d'un peu partout donnait presque un petit air de plateau de cinéma au chantier de Manic V.

Il y avait un peu de ça: toute inauguration est un show en soi, et celle-ci avait un petit aspect hollywoodien. Tout d'abord à cause du site grandiose qui aurait fait rêver feu Cecil B. De Mile. Ensuite parce que depuis des années le grand barrage était devenu lui-même une vraie vedette: tant par les films que par les chansons, ce « projet du siècle » de l'Hydro-Québec se révélait une mine d'or pour les relations publiques.

Ce matin, c'était l'apothéose finale: la mise en marche des turbines. Aussi, dans l'air glacé du 25 septembre 1968, dès potron-minet tout un chacun était en train de se préparer quand soudain la nouvelle incroyable se mit à circuler: frappé d'une crise cardiaque, le premier ministre Daniel Johnson était mort. Pour la dernière fois, il prenait encore tout le monde par surprise...

Le show n'eut jamais lieu. Le Québec, terrassé par la stupeur, s'aperçut qu'une page venait de tourner, avec la mort de cet homme élu de justesse, et qui avait eu bien peu de temps pour se révéler.

Avec lui, *l'Union Nationale*, fille de Duplessis, venait de connaître son dernier soubresaut. Son dernier espoir. Avec Daniel Johnson

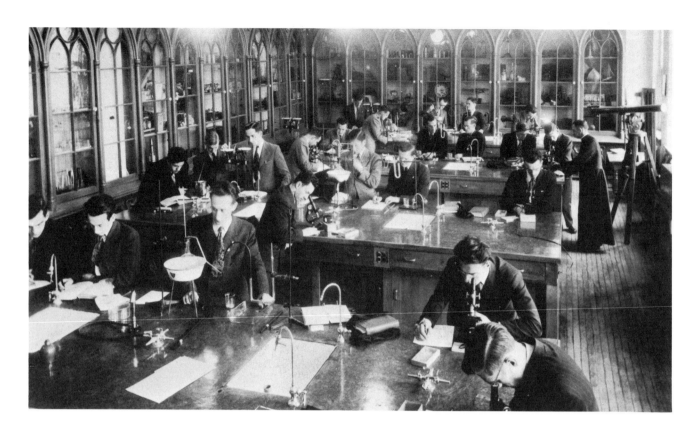

Le laboratoire où Daniel John-
son s'initiait à l'étude de
l'infiniment petit.

disparaissait la troisième voie, bâtie sur le compromis et le mitigé, sur le principe « Égalité ou Indépendance ». Désormais, bon gré, mal gré, il n'y aura plus que deux pôles politiques: le fédéralisme ou la souveraineté.

Peu d'hommes politiques ont été aussi énigmatiques que Daniel Johnson: aujourd'hui encore, ce que fut sa pensée politique est plus le sujet de l'exégèse que de l'analyse normale. À l'occasion, on dispute, suppute ou impute la plupart de ses propos. Était-il un fédéraliste, marqué par l'autonomisme de son ancien maître Duplessis? Ou bien un homme devenu indépendantiste par la force de l'histoire? Ce qui paraît diplomatie subtile pour les uns devient hypocrisie politique pour les autres.

Un exemple: son attitude lors de la visite du général de Gaulle en 1967, et surtout lors de la fameuse scène du balcon, le 24 juillet. L'auteur de ces lignes a pu approcher deux familiers de Daniel Johnson. L'un, sous le sceau du secret, lui déclara que Johnson s'y attendait, l'ayant presque soufflé au général; l'autre jura tous ses grands dieux que le premier ministre en avait été le premier surpris. Les deux ont peut-être raison: cet être subtil, sans l'avoir dit, l'a peut-être laissé entendre. De toute façon, par la suite, son attitude resta suffisamment ambiguë pour que toutes les suppositions se fassent jour. Une partie de sa force était le sens du secret et celui du moment opportun. Cet homme affable, à l'air doux, était un fin renard...

Du renard, d'ailleurs, il avait un peu l'apparence. Son visage, de profil, formait un angle obtus. Sous son front large, couronné d'une chevelure noire jais, abondante et bien coiffée, deux petits yeux vifs se cachaient derrière de grosses lunettes: ils se plissaient quand le sourire amenait une coupure large, bordée par des lèvres minces, mettant la moustache frais tondue en éventail.

Les costumes sombres ou bleus, toujours bien coupés, la pochette sortant dans un sage négligé, Daniel Johnson, de prime abord, donnait l'impression d'être un homme de loi, à la prudente prospérité dissimulée par une élégance de bon ton qui ne voulait surtout pas être apparente. Sa voix de baryton, un peu grasse, qui renforçait les *r*, au ton articulé et posé, forçait l'attention de l'interlocuteur.

Mais c'était surtout quand on lui parlait que le côté renard jouait en sa faveur: légèrement penché, les yeux plissés, l'oreille aux aguets, il donnait l'impression d'être tout entier dans l'instant et le

Qui se douterait en 1934 que le trompettiste du séminaire deviendrait un jour premier ministre?

sentiment d'être uniquement attentif à l'auteur de l'adresse. Quant aux réponses, en style simple et affable, elles suggéraient plutôt que de trancher. Souvent le partenaire avait tendance à y voir, entre les phrases, des sous-entendus qu'il interprétait selon ses désirs. Daniel Johnson, sauf nécessité tactique, se gardait bien d'intervenir sur l'interprétation d'autrui. Ce n'est qu'au moment d'une décision que la phrase arrivait, claire, courte, concise, souvent tranchante.

Il faut dire qu'il était un des rares politiciens à être sortis encore vifs de la poigne de fer de Maurice Duplessis: celui-ci exigeait de son entourage une obéissance aveugle et, à part pour Paul Sauvé, une soumission totale de tous les instants qu'il aimait mettre à l'épreuve. Cela marque un homme: secret et patient, Daniel Johnson, surtout dans le temps de son chef, donna longtemps l'image d'un être intelligent mais un peu falot, même servile vis-à-vis de son maître ou des chefs du parti, bref un faible quelque peu bonasse.

Daniel Johnson vient d'être nommé Président de la cour civile et criminelle du Séminaire.

En réalité, c'était un tacticien politique, doué pour les manoeu-

L'orchestre du grand séminaire à la remise de diplômes de fin d'année.

vres de longue haleine, d'une tenacité et d'une pugnacité d'autant plus efficaces, comme l'histoire le prouva, qu'elles étaient insoupçonnées. Sous ses apparences conciliantes, c'était un être de fer, patient, qui attendait son heure. Ce qui ne l'empêchait pas de posséder aussi une très grande sensibilité qu'il masquait comme une faiblesse.

Politiquement, il était né en 1938, lors du tourbillon qui commençait à secouer la jeune élite bourgeoise canadienne-française. On remettait tout en question, sans trop imaginer les réponses: c'est le temps des « Jeunes Canada », des premiers séparatistes, fortement influencés par la doctrine sociale de l'Église catholique.

Daniel Johnson est un de ceux-là: catholique de stricte observance, il est attiré par le mouvement *Pax Romana* et par le nationalisme canadien-français. Président de l'AGEUM à l'Université de Montréal, où il achève ses études en droit, il fera des discours pour la défense des canadiens-français, mais toujours dans le cadre d'une concertation possible: il croit que « dans vingt ans, peut-être, Toronto va comprendre... »

Ce n'est pas un libéral, mais un homme de droite légèrement modéré: ainsi s'il est pour l'amélioration de la condition ouvrière (il sera même plus tard avocat pour certains syndicats), il est anti-communiste et approuve la loi du Cadenas de Maurice Duplessis,

297

qui est pourtant une entorse sérieuse aux libertés individuelles. Dans l'année 40, même s'il le laisse entendre, il ne prend pas parti contre la conscription: « Ottawa sait bien, dit-il, quels sont les sentiments des Canadiens-français à cet égard. » Mais il ne la soutiendra pas. En fait, l'autonomisme de Maurice Duplessis lui plaît, et il se sent attiré par le chef...

Durant le temps de la guerre, il va pratiquer comme avocat —et avec succès— pour les Syndicats nationaux, la Jeune chambre de commerce et les hebdos de langue française. Ce qui lui permettra non seulement de nouer d'utiles relations, mais aussi de faire apprécier son habileté. Entre-temps, il rejoint *l'Union Nationale* dans son malheur quand celle-ci est battue par Godbout en 1939.

Il devient organisateur du député du comté de Bagot, le Dr Adams, lors de l'élection de 1944. Mais même si *l'Union Nationale* est gagnante, Philippe Adams, lui, est battu et se retire. Daniel Johnson travaille le comté: aussi advenant une élection partielle en 1946, dans ce même comté, le voilà sur les rangs. Là se situe un moment charnière dans son existence qui le fera adopter définitivement par Duplessis comme un de ses enfants politiques. Mais qui est aussi très indicatif quant à la subtilité de Daniel Johnson.

Pour une raison purement stratégique, Maurice Duplessis, peu avant la mise en nomination du candidat de *l'Union Nationale*, décide de changer de candidat. « J'ai quelqu'un d'autre en vue, dit-il. Attends, tu es jeune, tu auras ton tour! » Pour quelqu'un qui fait campagne depuis au moins deux ans, c'est raide! Nonobstant, Daniel Johnson envoie une très belle lettre à Maurice Duplessis, lui exprimant ses regrets, mais disant qu'il s'incline devant la volonté du chef qu'il admire. Même mieux, si on a besoin de lui, il sera toujours prêt! Pareille lettre touche Duplessis: voilà un fidèle comme il les aime! Aussi, il change de décision: « Tu seras candidat! » et il envoie les gros canons du parti soutenir Johnson.

Or, détail peu connu, vers la fin de cette campagne électorale qui se terminera par une victoire confortable, un journaliste du *Devoir*, qui est un vieil ami, lui demande en riant: « Pourquoi veux-tu devenir député? » Et il s'entend répondre par Johnson: « Un jour Duplessis va mourir, et il faudra quelqu'un à la tête du parti pour pouvoir le remplacer. Si je veux être cet homme, je dois commencer par être député! »

En 1946!

Alors commence la carrière parlementaire de Daniel Johnson qui est un modèle du genre: ce simple « back-bencher » sait, petit à petit, se rendre utile, puis indispensable sans pour cela se mettre en vedette. Le chef a horreur de ceux qui deviennent un peu trop populaires et qui pourraient prendre leurs distances avec lui: au besoin, il les casse! Il prend en affection ce jeune avocat, retors et diplomate, qui ne se décourage jamais, même si le chef refuse ce qu'il demande. C'est un négociateur-né. À la suite d'un incident personnel qui ébranle Daniel Johnson, au cours duquel il songe même à démissionner, c'est Maurice Duplessis, en 1953, qui va le remonter: il s'établit presque une relation spirituelle père-fils. D'autant plus que Daniel Johnson admire sincèrement Duplessis sans être aveugle toutefois... Souvent, lors de projets qu'il a essayé de pousser mais qui ont été refusés par le chef, il laissera échapper cette réflexion: « Il faut attendre »...

Il n'est pas étonnant qu'il devienne tout d'abord l'attaché parlementaire de Duplessis, puis plus tard vice-président de la Chambre, en 1956. Ce qui n'était pas une sinécure: il fallait beaucoup de diplomatie pour pouvoir concilier les règlements de la Chambre et les interprétations impératives et quelquefois primesautières qu'en faisait Maurice Duplessis...

Finalement en 1958, Daniel Johnson devient ministre des Richesses naturelles. C'est lui qui va donner l'impulsion au gigantesque projet du complexe électrique Bersimis-Manicouagan-Outardes.

En cette circonstance, il fait preuve d'habileté. Il existe bien sûr l'*Hydro-Québec*, mais c'est une compagnie assez réduite, en comparaison des géants comme la *Shawinigan Light Power*. Pour attirer les industries il faut plus d'électricité mais, seul le pouvoir privé décide. Or, pour Maurice Duplessis, la nationalisation (qui a déjà été opérée dans d'autres provinces) est une mesure « communiste ». Le comble de l'abomination! Daniel Johnson soutient qu'il n'est pas question de supprimer l'industrie privée, mais de la compléter, selon les règles de la concurrence: on pourra même lui vendre du courant. Et le projet démarre!

Petit à petit, le chef décline. Sa santé devient de plus en plus précaire et le diabète n'arrange rien. Le 3 septembre 1959, Duplessis est frappé par une attaque: il mourra deux jours plus tard.

L'Union Nationale se trouve veuve.

Pour la succession, aucun problème. Comme un député l'avait dit, il y avait dans *l'Union Nationale* trois sortes de députés: ceux qui disaient « Oui, monsieur Duplessis », ceux qui pouvaient dire « Oui, Maurice » et... Paul Sauvé. Ce fut donc lui qui prit les rênes: 120 jours après, il mourait à son tour. La bataille pour la succession s'ouvrait à nouveau.

C'est à Saint-Eustache, au nord de Montréal, que le congrès du parti s'ouvre: pour la première fois, Daniel Johnson est mis en avant. Il est le candidat de la « gang de Montréal ». Mais la « gang de Québec » a ses hommes: soit Yves Prévost, secrétaire de la province, soit Antoine Rivard, Solliciteur général. La lutte est féroce, ça discute ferme, chacun s'en tient à son point de vue, et cochon qui s'en dédit! Finalement; on opta pour un candidat de transition: Antonio Barette, ministre du Travail, dont le seul aspect alléchant auprès de l'électorat (les élections s'en venaient à grands pas) était la réputation d'avoir souvent contrarié Duplessis qui d'ailleurs ne se gênait pas pour intervenir dans son ministère, pardessus sa tête.

Le nouveau chef confirma tout le monde dans ses fonctions, et eut bien du mal à faire admettre son autorité, d'autant plus que les deux membres les plus influents étaient Gérald Martineau et Jos Bégin, tous deux maîtres de la caisse électorale. Quant à Daniel Johnson, il continua à être affable et se rangea derrière le chef de transition. Le temps d'une élection perdue, et Antonio Barette démissionne. Daniel Johnson, réélu, laisse aller les choses: les chefs se succèdent et ne se ressemblent plus. Sitôt Yves Prévost nommé, à la joie de la « gang de Québec », les bâtons commencent à être dans les roues. Il quitte, remplacé par Antonio Talbot. Même scénario!

Un congrès à la chefferie s'impose: Daniel Johnson se met sur les rangs, démarre, suscite même un concurrent qui est un ami (Jean-Jacques Bertrand) et finalement, en septembre 1961, prend la tête, devant son ami...

Une très belle famille canadienne qui donnera un ministre de plus au Québec 15 ans plus tard.

Jusqu'en 1962, lors des élections provinciales, il passera son temps à réorganiser le parti, et surtout à le retirer des mains des « ancêtres », mais ce sans les provoquer. La défaite est pour lui une leçon salutaire: à force d'avoir été un parti de pouvoir, *l'Union Nationale* n'est plus un parti d'idées. Face au « Maître chez nous » des libéraux, ou au « Québec libre » du RIN, en ces temps de FLQ et de réveil national, il n'a rien à opposer. C'est alors qu'il sort un livre « Égalité ou Indépendance » qui devient le drapeau de bataille du parti. Ce qui lui permettra de prendre le pouvoir en 1966. Mais d'une manière inconfortable, puisque le succès est dû à une anomalie du système électoral: avec 40,9% des voix, il obtient, le 5 juin 1966, 56 sièges tandis que les libéraux n'en ont que 50 avec 47,2%...

C'est alors que se révèle un Daniel Johnson inconnu...

C'est un chef, doublé d'un diplomate, qui se lance dans une offensive tous azimuts: sur le plan constitutionnel, non seulement il reprend les conversations avec le gouvernement Pearson, mais il prend l'initiative. Il met « en réveil » une loi passée en 1945, créant Radio-Québec, faisant ainsi une trouée dans le domaine des communications. Du côté de la France, il lance quelques antennes, reprend en moins spectaculaire la politique de son prédécesseur, mais en plus efficace. Lors de son voyage à Paris, le 17 mai 1967, pour inaugurer la Maison du Québec, il entreprend une série de négociations avec le général de Gaulle qui iront en fait beaucoup plus loin que de simples échanges culturels: il est fortement question d'une participation québécoise, par le biais de

Le 5 juin 1966, Daniel Johnson prend le pouvoir en faisant élire 56 députés. Il restera premier ministre jusqu'à sa mort prématurée en 1968.

Radio-Québec, au satellite franco-allemand « Symphonie ». Projet qui ne sera torpillé, à grand-peine, par Ottawa qu'en avril 1968 par Eric Kierans devenu ministre des Communications.

Sur le plan intérieur, début 1967, il réagira avec célérité contre les grèves dans l'enseignement et les hôpitaux, au moyen d'une loi spéciale. On le verra combattre les « séparatistes » tout en se servant d'eux, dans le débat constitutionnel, dans le style « Si vous ne m'accordez pas ce que je demande, c'est moi ou eux ». Impression qu'il accentue lors de la visite du général de Gaulle à l'occasion de l'Exposition universelle de 1967, en organisant une réception sans précédent en l'honneur de celui-ci. Avec le résultat que l'on sait...

Fort habilement, deux jours après, le 28 juillet 1967, Daniel Johnson fait ses commentaires: il ne prend pas position, mais exprime d'après lui ce que le général a voulu dire, et attaque Ottawa. Cependant une de ses phrases va peser lourd, lorsqu'il déclare que le général a salué la conviction que « comme tous les peuples du monde, il (le Québec) possède le pouvoir incontestable de disposer de lui-même en déterminant librement son statut politique et en assurant librement son développement économique, social et culturel... »

Daniel Johnson était-il devenu indépendantiste? Par la suite, lors des rencontres fédérales-provinciales, et des affrontements avec Trudeau, sur des points spécifiques il fut bien difficile de pouvoir y trouver une confirmation. D'ailleurs, logique dans son combat contre les libéraux fédéraux, il donnera son appui à Standfield, le chef conservateur, en vue des élections fédérales...

Daniel Johnson en fait trop: il est infatigable, du moins en apparence. Il passe des dossiers à l'Assemblée, de l'Assemblée aux rencontres avec les gens ou des voyages hors de la province, à un rythme effarant. À croire qu'il réalise 22 ans de frustrations! Il n'est pas étonnant qu'une première attaque cardiaque le secoue pendant l'été 1968, et qu'il soit obligé de prendre deux mois de repos à Hawaii. Mais est-ce vraiment du repos? Car même loin, il suit la situation jour après jour, ayant une confiance mitigée dans ses ministres: non pas qu'il ne les laisse pas libres, mais il veut tout savoir. Résultat, dès son retour, la veille de l'inauguration de Manic, émacié mais bronzé, il se lance à l'attaque, dans une conférence de presse, contre le fédéral et certains éléments de la presse anglophone: le Québec, dit-il, doit être entendu pour éviter le pire. Le soir même, reprenant son rythme infatigable, du moins en apparence, il va faire un tour à travers le chantier, serrer la main aux ouvriers, tout comme s'il était en campagne électorale!

Le lendemain, il était mort...

Avec lui finissait la gigantesque partie de poker que le Québec avait engagée avec Trudeau à Ottawa, où Québec avait l'avantage de l'offensive. Brandissant la menace de l'indépendance inévitable si ses demandes n'étaient pas satisfaites, tout en combattant sur le terrain partisan les troupes indépendantistes, jusqu'où Daniel Johnson serait-il allé dans ses enchères? Il aurait été fort capable, du moins si on en croit certaines de ses allusions, de faire, en cas de conflit, une élection ayant pour thème une de ses revendications quant à l'autonomie, élection qu'il aurait pu gagner.

Daniel Johnson mort, son parti fut incapable de soutenir le rythme et surtout d'avoir le même aplomb. Ironie du sort, c'est finalement le *Parti Québécois* qui récupérera, au détriment de *l'Union Nationale*, une bonne partie du programme et de l'élan qu'avait mis en branle Daniel Johnson. C'est aussi, après sa mort, que le Québec s'aperçut que Daniel Johnson qui, pendant longtemps, était assimilé au mieux à un faire-valoir de Maurice Duplessis, avait été peut-être un des hommes politiques les plus énergiques quant au destin du Québec: tout avec lui aurait pu arriver. Mais tout quoi? C'est une autre des grandes énigmes historiques qui font partie de la légende Daniel Johnson!

LA VILLE PLEURE
PLUS JE T'ENTENDS
DISPARUE
ELLE ETAIT SI JOLIE
DE LIT EN LIT
...et autres

MICHEL LOUVAIN

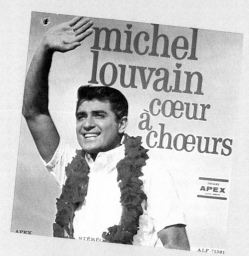

ET BIEN,
CHANTEZ
MAINTENANT...

Été comme hiver, « la Butte » est le but des promenades des amoureux de la chanson québécoise.

« Le Patriote » où l'on apprend aussi le dur métier de chansonnier.

L'ÈRE DES BOÎTES À CHANSON

Être chanteur populaire, c'est un dur métier, qui s'apprend. Où? Sur les planches! On n'arrive pas tout de suite, tous projecteurs allumés, sur la grande scène de la Place des Arts! Vers la fin des années cinquante, on débute dans de petites salles souvent sombres et exiguës, comme « Le Saranac », « Le Chat Noir », « Échourie » ou le « El Cortigo ». Mais les scènes sont rares pour les jeunes Québécois qui aspirent à faire carrière dans la chanson. C'est alors que Gilles Mathieu entreprend de transformer un grenier en cabaret, à Val David. C'est de la folie! Comment espère-t-il attirer des spectateurs si loin de Montréal? Tout simplement grâce à la qualité des spectacles qu'il va présenter. À compter de décembre 59, la « Butte à Mathieu » accueille de jeunes chansonniers dont les noms nous sont devenus familiers, s'ils ne l'étaient pas déjà: Robert Charlebois, Claude Léveillée, Georges Dor, Pierre Létourneau, Louise Forestier, Les Bozos, etc... Les spectateurs affluent. Devant ce succès, les « Boîtes à Chansons » prolifèrent. Nos chansonniers peuvent enfin espérer être reconnus au Québec sans avoir à passer par Paris, comme leurs aînés, Raymond Lévesque, Félix Leclerc ou Pauline Julien.

Comme beaucoup d'autres, c'est à « la Butte à Mathieu » que Georges Dor a connu ses premiers succès.

Claude Saint-Denis.

LE SOURIRE DE LA CHANSON

Au gala des Splendeurs de 1957, le Québec tout entier tombe sous le charme d'un jeune chanteur qui, en vingt-quatre heures, devient la coqueluche de toute la province. Cet engouement est parti pour durer un quart de siècle.

Passe le temps, passent les modes, Michel Louvain demeure, avec la même cote d'amour transmise de mère en fille. La vogue des chansonniers n'entame pas celle de Michel. Seul le phénomène Presley peut être comparé à celui de ce Québécois souriant qui traverse les années sans égratignures. De « Lison » à la « Dame en bleu », Michel Louvain a chanté les femmes avec la même tendresse, réussissant à être une énorme vedette sans avoir jamais joué le jeu du Star-système.

Comment le débutant maladroit s'est-il transformé en ce grand professionnel capable de remplir la Place des Arts et de faire la « une » d'un grand quotidien? Michel a peut-être la réponse, toute simple: « J'ai toujours eu un immense respect pour mon public, et je lui donne ce qu'il aime parce que je l'aime. Je ne suis qu'un interprète, c'est vrai, mais tout ce que je chante passe par le chemin du cœur. Et c'est peut-être cette sincérité qui passe la rampe.

Automne 1972, au TNM.

PAROLES DE FEMMES

« En ce temps-là j'étais crédule - Un mot m'était promission - Et je prenais les campanules - Pour les fleurs de la passion »

Le bras levé, le regard vrillant à travers une masse de cheveux à la fois sauvages et beaux, le visage tendu par une passion intérieure qui se projette sur l'assistance, à travers une voix *feule* un peu rauque, qui vous prend aux tripes, le Québec, en ce printemps 1960, découvre Pauline Julien...

C'est une comédienne qui est partie, il y a quelque cinq ans, en France; c'est une chanteuse exceptionnelle qui nous revient. Ses classes, elles les a faites dans les cabarets de la Rive Gauche à Paris sur ces petites scènes dont l'estrade contient tout juste le piano et le micro, où seule la qualité de l'interprète arrive à interrompre les conversations des habitués. Elles ont noms « Chez Moineau », rue Guénégaud (qu'on appelle « Le Corse ») où le gros rouge est à l'honneur, « College Inn », du côté de Montparnasse, « L'Épi-Club », un peu plus huppé, « La Méthode » ou « Le Cheval d'Or », sur la Montagne Sainte-Geneviève, voire « La Colombe », dans l'Île de la Cité. Elles ont toutes deux points en commun: une sélection impitoyable par la qualité, et elles payent mal! Aussi, Pauline Julien pour vivre, doit tous les soirs en faire plusieurs. C'est à travers ces boîtes que Pauline Julien se fait un répertoire éclectique: du Boris Vian, du Berthold Brecht, du Léo Ferré (les poèmes d'Aragon surtout), voire du Claude Nougaro (aujourd'hui oublié). Un répertoire qui convient à sa passion de vivre...

Mais, en cet été 1960, si le Québec découvre Pauline Julien, Pauline Julien redécouvre le Québec, ou plutôt aide celui-ci à se trouver dans ses chansonniers: il faudra peu de temps pour que Pauline Julien —qui a déjà « La folle », de Jean-Paul Fillion, à son répertoire— découvre Gilles Vigneault, qui vient à peine de naître sur scène, dans une petite boîte au-dessus de la Porte Saint-Jean à Québec... Les jeunes compositeurs québécois, que l'on nomme les « chansonniers » et qui portent déjà, dans leurs chansons, le sentiment national sur leurs épaules, vont trouver enfin leur voix: Pauline Julien...

NOTRE CHANSON EN HABIT DE GALA

Quatre ans après son apparition, la télévision va devenir un tremplin pour les auteurs-compositeurs québécois en herbe. En effet, en 1956, la direction française de Radio-Canada accepte le projet de Robert L'Herbier. Aidé par Roger de Vaudreuil, L'Herbier met sur pied l'Amicale de la Chanson, chargée d'organiser un grand concours populaire. Les manuscrits pleuvent et les premières chansons sélectionnées sont créées par les grands interprètes d'alors, à la radio et au petit écran, une saison durant. Avril 1957, c'est la finale et le super gala; ce soir-là, les douze chansons sélectionnées par le jury sont révélées au public.

Marc Gélinas, le père de « Boucles Blondes », reçoit son prix d'un Pierre Paquette en habit de gala...

Guy Lepage remet le Grand Prix 1961 à Fernand Gignac.

Germaine Dugas, auteur-compositeur et interprète de « Deux enfants du même âge », reçoit le Grand Prix 1960. Au micro, Roger Lebel et Réal Giguère la félicitent.

Le lendemain matin, chez tous les disquaires du Québec, c'est la ruée sur le microsillon-souvenir édité chez Pathé, c'est le triomphe! Les chansons primées? « Sur l'Perron », « Les Étoiles », « Si tu voulais », « Le Voyage de Noces », « Mon Saint-Laurent si Grand », « Le Ciel se marie avec la Mer »... Les auteurs? Camille Andréa, Lucien Brien, Jean-Louis Faguet, Lionel Daunais, René Tournier, Jacques Blanchet... Les interprètes? Dominique Michel, Robert L'Herbier, Rolande Désormeaux, Michel Noël, Lucille Dumont...

On récidive en 1958, 1959 et 1960 et ce concours de la chanson devient celui de la Communauté Radiophonique de langue française sous le nom de « Chansons sur mesure ». C'est dans le cadre de ce concours dont Bruxelles est l'hôte en 1962 que Ferland gagne le Grand Prix avec « Feuille de gui ».

Yoland Guérard récompense ici le jeune talent d'un auteur-compositeur qui deviendra un grand de la chanson québécoise. Claude Léveillée.

Jean-Pierre Ferland.

Dominique Michel, « En veillant sur l'perron ».

CONCOURS DE LA CHANSON CANADIENNE 1957

LES ÉTOILES

1480 ST. CATHERINE OUEST, MONTREAL

Pierre Calvé a transporté au Québec ses horizons marins.

En 1958, Paris est conquis par la voix et le sourire d'Aglaé.

Sylvain Lelièvre, un talent hors du commun dont le chemin difficile aboutira un jour à la renommée.

Peintre, chanteur, auteur-compositeur: Tex Lecor, pas encore « L'insolent » des téléphones.

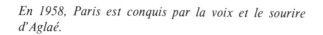

Pierre Létourneau, le romantisme et la tendresse.

Le père du « Grand 6 pieds », Claude Gauthier a fait un saut de géant jusqu'à l'Olympia.

Jacques Blanchet a bien su dompter la chanson et apprivoiser le public québécois...

LE TEMPS DES ÉTOILES

Une voix qui s'est tue, Colette Bonheur.

Au début des années soixante, une jeune fille douce, un talent prometteur: Ginette Ravel.

Guy Boucher, tout la fougue des « Jnobs ».

Une découverte qui fera couler beaucoup d'encre:
Robert de Montigny.

À partir de novembre 1957, la télévision de Radio-
Canada présente chaque samedi après-midi «Le Club
des Autographes». C'est le joyeux rendez-vous des
étoiles. Ici, en 1960: André Lejeune, Maurice Dubois
(le réalisateur), Claude Vincent, Michel Brouillette,
Danièle et Michelle, André Sénécal, Pierre Paquette,
Ginette Sage, Jen Roger, Christiane Breton, Paolo
Noël, Margot Lefebvre, Michel Louvain et son frère,
André Roch.

Monsieur «extraordinaire», Pierre Lalonde, cuvée
1965, fait son apprentissage sur les ondes.

Lors de l'émission «Les gens de mon pays», à Radio-Canada en 1967, Renée Claude.

Ti-Gus et Ti-Mousse, une complicité qui durera vingt ans avec le même succès.

Charmés... Gilles Vigneault et Renée Claude.

Un style, une voix, une âme. Une super-star vient de naître: Ginette Reno.

En haut, Clémence. En-dessous, pas superstitieux pour un sou, Raymond Lévesque. Devant, Jean-Pierre Ferland, Claude Léveillée et Jacques Blanchet.

LES BOZOS!

Fin 1958, Radio-Canada s'installe dans une grève illimitée. Pour les artistes, c'est le chômage. Les uns tentent de s'employer ailleurs, les autres se réunissent pour innover, tels le joyeux groupe des Bozos qui se forme alors, pour projeter la chanson québécoise aux quatre vents, ouvrant ainsi un champ d'action considérable à une pléiade de jeunes talents.

Ayant à leur tête Raymond Lévesque, un chef de file expérimenté — qui rentre d'un long et fructueux séjour à Paris — ces jeunes auteurs-compositeurs et interprètes n'offrent pour toutes références que de prometteurs débuts. Tous subissent l'influence de leur « père » Félix Leclerc dont ils désirent, à leur façon, suivre les traces glorieuses. C'est peut-être pour cette raison qu'ils empruntent leur nom au titre de l'une de ses célèbres chansons.

Outre Raymond Lévesque, qui sont-ils, ces Bozos?

Clémence Desrochers, une vraie « chansonnière » de style inédit ici, que Jacques Normand a révélée sur la petite scène de son « Saint-Germain-des-Prés » devant un Georges Rigaux ébahi. Jacques Blanchet, déjà chanté par de grandes interprètes. Hervé Brousseau, dont le « Patin à l'envers » voltige allègrement sur la patinoire du Palmarès du disque. Claude Léveillée, qu'un jour la grande Piaf, de passage à Montréal, viendra enrôler. Jean-Pierre Ferland, fonctionnaire à Radio-Canada, qui a déjà fait un premier pas dans la chanson.

C'est au second étage d'un restaurant de la rue Crescent que les Bozos sont à l'affiche. Leur succès est immédiat. On vient de partout pour les entendre, les découvrir, les applaudir. Grâce à eux, notre chanson, depuis trop longtemps vouée à l'amateurisme, devient adulte.

Ces valeureux pionniers ouvrent la voie à tous ceux qui gravitent dans leur sillage: Germaine Dugas, Monique Miville-Deschênes, Pierre Calvé, Claude Gauthier, Pierre Létourneau, André Lejeune, Marc Gélinas... Tous ensemble, ils vivent cette époque merveilleuse, celle de nos premiers chansonniers et, les uns ne vont pas sans les autres, des Boîtes à Chansons. Partout, à Montréal comme en province, elles se multiplient, créant le grand circuit de la chanson du Québec. L'âge d'or de nos chansonniers est arrivé.

Paul de Margerie (un grand jazzman qui a choisi de mourir jeune), Jacques Blanchet, Clémence Desrochers, Hervé Brousseau et Claude Léveillée.

Émerveillés par la voix de Monique Leyrac, les Québécois découvrent l'univers coloré des chansons de Vigneault.

Ils étaient plus que des duettistes, à travers eux tout le Québec souriait. Inséparables d'une certaine époque qu'ils ont marquée au coin de leur humour, les Jérolas étaient uniques.

En 1965, Louise Forestier fait ses débuts dans la chanson. « Le plus difficile, dans ce métier, c'est de durer. »

LE PHÉNOMÈNE CHARLEBOIS

Automne 1965: les membres du jury du Festival du Disque décident à l'unanimité de décerner un Trophée spécial au microsillon d'un jeune débutant: l'auteur-compositeur-interprète Robert Charlebois. Son image est rassurante: cheveux proprement coupés, chemise blanche, cravate sobre et complet recherché. Ce qu'il aime? Il le dit à un journaliste: « J'envie les jazzmen. J'ai horreur des gens qui se prennent au sérieux, c'est pour ça que je suis triste au fond. En surface, je suis un clown, mais je travaille sérieusement. Je ne crois qu'au sérieux des œuvres et des femmes, parce que la subtilité et le bon goût de quelques-uns sont nécessaires pour l'avenir du Québec. »

Ce Charlebois-là prépare déjà l'autre, celui qui, deux ans plus tard, va révolutionner totalement le style de la chanson et du spectacle, avec son « Osstidcho ». La bête de scène est née. Notre conventionnel Québec possède enfin « son » phénomène: c'est Charlebois! Charlebois qui part à Paris et casse tout à l'Olympia en 1969, au propre comme au figuré. Il lance par-dessus la rampe, sa batterie, ses cuivres, ses chaussures, tout ce qui est à portée de sa main. Il veut épater, choquer, triompher. Il y réussit!

Juin 1965. Un nouveau qui n'a pas encore trouvé son image de marque.

Il bondit, il rugit...

LA VOIE MARITIME EST OUVERTE

Voummmmmm... Toutes les sirènes des navires dans le port de Montréal, y compris celles des deux contre-torpilleurs, se mettent à vrombir, au moment où le «Britannia», yacht de Sa Gracieuse Majesté Elizabeth II entre dans la Voie Maritime, Union Jack à la corne.

Dans cette belle journée du 26 juin 1959 où «le soleil est de la fête» (sic), le navire passe lentement devant une fanfare emplumée modèle Buckingham, qui fait «les frais de la musique» (pour employer les clichés de l'époque!) en entonnant «le God Save the Queen» tandis que sur le quai, elle regarde passer ladite Majesté et le prince consort.

Plus loin aura lieu, aux écluses Saint-Lambert, le clou du spectacle: le président Eisenhower des États-Unis, qui fait plus que jamais militaire en civil avec son chapeau-taupe, et Elizabeth II, vont se congratuler et prononcer les discours d'usage, sous l'oeil ému de John Diefenbaker premier ministre du Canada. Chacun y va de son couplet sur ce grand jour qui officialise un des grands travaux du monde, et renforcera le commerce et l'amitié des deux grands pays. Petite nuance, Sa Majesté ajoute «que la Voie Maritime va établir de nouveaux liens entre les deux principaux groupes ethniques fondateurs de ce pays.» Canada oblige!

Sans préciser lesquels...

D'autant plus que Maurice Duplessis, premier ministre du Québec n'est pas là. Il est retenu par les affaires... et surtout fatigué. Mais il a quand même fait royalement les choses: deux jours

Deux chefs d'État, deux styles — La Reine Elizabeth II — collier de perles et satin prune — reçoit à son arrivée à Dorval le président Eisenhower — serge bleu marine et feutre taupé.

Le ministre des Transports George Hees au physique typique de Major des Indes et Lionel Chevrier, le numéro un de la nouvelle voie maritime sonnent symboliquement la cloche du d'Iberville qui annonce l'ouverture de l'écluse de St-Lambert.

avant, à Québec il a reçu Sa Majesté en grand apparat, dans un grand dîner officiel, et annoncé la fondation d'une oeuvre philanthropique au nom de la souveraine avec un fonds de $250,000... Quoique dans son for intérieur, il doit rager!

Le jour avant, Sa Majesté a donné une réception à bord du yacht Britannia en l'honneur du maire Sarto Fournier, de quelques élus municipaux, et de Maurice Richard et Sam Etcheverry, la gloire du football local. Lesquels élus devaient avoir au moins la même rage en commun, sous leurs sourires et leurs civilités. Pour tout ce monde, la Voie Maritime présageait la mort du port de Montréal!

On ne peut pas demander aux gens d'être à la fois cocus et contents, surtout après cinquante ans de bagarre ou presque...

Il faut dire que depuis le début du siècle, et surtout après le succès du canal de Panama, les gens du Middle West aux États-Unis et ceux de l'Ouest canadien, rêvent d'un canal qui permettrait de joindre les Grands Lacs à l'Océan Atlantique. Pour différentes raisons commerciales bien sûr, mais surtout pour ne plus dépendre du train et des ports de la côte Est qui s'enrichissent en opérant le transbordement. Or l'Ouest est en pleine expansion, surtout sur le plan agricole...

En 1921, on fait des études préalables. Pour les mêmes raisons, le gouvernement canadien et celui des États-Unis sont favorables au projet. En principe, il doit passer comme une lettre à la poste!

Herbert Hoover, président en 1929, a inscrit à son programme le financement du projet, du moins en partie. Mais toc! Le gouvernement du Québec s'y oppose par la voix d'Alexandre Taschereau.

Pourquoi? Parce qu'il y voit un danger pour le port de Montréal, le fait aussi qu'on installerait des barrages qui fourniraient de l'électricité aux États-Unis, ce qui pousserait les compagnies à rester chez elles. Enfin, c'est une menace aux droits provinciaux sur le fleuve! En 1931, il remet ça...

Par contre, l'Ontario est favorable aux projets de barrage car elle en profitera...

Ça ne fait rien, le gouvernement canadien continue à négocier. Québec revient à la charge le 14 janvier 1932, l'Assemblée vote contre le projet «Québec n'a pas les moyens de participer à la dépense; le projet va être un désastre parce qu'il faudra des bateaux spéciaux...»

Mackenzie King, qui est plutôt centraliste à outrance s'en moque comme de Colin-tampon. Le 18 juillet 1932, en grande pompe, à Washington, le Canada et les États-Unis signent un traité prévoyant les grandes lignes du projet qui doit se faire sur huit ans. Il doit coûter huit cent millions de dollars y compris une centrale électrique. Tous ces travaux doivent être bien accueillis, pense-t-on, parce que nous sommes en pleine crise... Surtout au Canada.

C'est alors que le projet tombe à l'eau: le 14 mars 1934, le Sénat Américain refuse de le signer, dénonce le traité... Officiellement parce qu'il coûte cher. Officieusement, les États de la Côte Est ne veulent surtout pas en entendre parler!

Le Québec est sauvé par la cloche de Washington...

Les deux brise-glace: D'IBERVILLE et MONTCALM entrent solennellement dans l'écluse de Saint-Lambert sous les regards curieux de quelques privilégiés.

Tout doucement, le canal se remet à faire surface en 1936. Le président américain Franklin Roosevelt y tient, et aussi Mackenzie King, toujours au pouvoir. Or il se trouve que le Québec et l'Ontario sont comme larrons en foire: ils ont beaucoup de choses en commun. Duplessis, premier ministre du Québec et Hepburn de l'Ontario (conservateur bon teint!) ne peuvent pas sentir le chef des « rouges ». De plus, pour l'Ontario, l'affaire est moins reluisante: en effet l'Hydro-Ontario, tout comme les compagnies d'électricité québécoises, s'apprête à vendre de l'électricité aux États américains. Or si le projet de barrage se réalise, plus de clients! En 1937, les deux premiers ministres qui se portent une admiration mutuelle constituent presque l'axe Québec-Toronto.

Ils torpillent donc le projet de King qui invoque en vain la grande amitié entre « nos deux peuples ». Avec d'autant plus d'enthousiasme que Roosevelt vient d'annuler les contrats de vente d'électricité, pour faire pression. Or nous sommes (encore!) en pleine bataille constitutionnelle entre les provinces et Ottawa!

Pour comble de diplomatie, Roosevelt — qui entend comme tout le monde des bruits de bottes venant de l'Europe — croit l'emporter en présentant un nouveau projet en 1938, il donne comme argument, qu'en cas de guerre, cela pourrait être pratique...

Or qui dit guerre dit conscription. Par nature, tout le monde est contre, au Canada! Il ajoute que tant que le projet ne sera pas signé, il n'y aura pas de vente d'électricité du Canada. Hurlements en choeur de l'Ontario et du Québec! Mackenzie King met la pédale douce...!

Il lève le pied en 1941: Duplessis a perdu le pouvoir aux mains d'Adélard Godbout à Québec, et Hepburn en Ontario — britannique en diable, puisque nous sommes en pleine guerre — se laisse charmer par l'argument que ce canal aidera l'Angleterre à gagner la guerre... Aussi, mine de rien, Ottawa et Washington (mais cette fois-ci au Canada) signent un nouveau traité, le 19 mars pour le creusement du canal.

Pour faire bon poids, on pousse Godbout — qui doit sa victoire aux libéraux fédéraux — à faire passer une loi à Québec qui approuve la construction du canal. Ce qui cause de joyeuses empoignades à l'Assemblée — où on se traite de vendu et de pourri (entre autres!) — et une hostilité croissante de la Chambre de Commerce de Montréal qui commence à trouver que Duplessis avait du bon. N'importe, la loi passe: on fait accélérer la décision par le Conseil Législatif et pour le récompenser de sa célérité, on vote une augmentation de cinq cents dollars pour ses membres!

Le rêve qui dure depuis le début du siècle va enfin se concrétiser. Le Canal qui joindra les Grands Lacs à l'Océan Atlantique vient d'ouvrir ses portes à la grande navigation canado-américaine.

Bref l'ours est vendu. Il reste à le tuer...

On y mettra treize ans!

Ce n'est qu'après de joyeux marchandages — auprès desquels ceux des marchands de tapis sont d'amusantes facéties —, et une semaine de débats particulièrement houleux, que ce projet qui devait aider à gagner la guerre (laquelle était terminée depuis longtemps!) fut enfin ratifié par le Sénat américain par cinquante-et-une voix contre trente-trois. Et encore il fallut attendre le résultat d'une plainte en Cour Suprême des États-Unis contre l'Est de New-York, pour que la chose soit enfin décidée!

En plus du canal, l'Ontario et la Power Authority de New-York s'engagent dans un projet de barrage en commun « fifty-fifty » de six cent millions. La grande inauguration des travaux se fait le 10 août 1954 qui se trouve être le 419ème anniversaire du baptême du fleuve par Jacques Cartier. Ce qui permet à M. St-Laurent, alors premier ministre, de déclarer que le nouveau canal allait renforcer l'OTAN!

En fait, la Voie Maritime commence à fonctionner le 25 avril 1959. Mais après autant de temps, on comprend que cela valait le coup de faire venir la Reine. Aux frais de la princesse « Canada » bien entendu...

Duplessis, malade n'a pu se rendre au dîner officiel de Montréal. Sa Majesté aura à sa droite la pourpre du cardinal Léger et à sa gauche le sourire communicatif de Sarto Fournier, alors maire de Montréal.

TRAGÉDIES DANS LE CIEL

Dorval, 29 novembre 1963: 6h20. Le capitaine John Douglas Snider, à bord d'un DC-8F, se dirige vers la piste d'envol. Air Canada est la première compagnie aérienne à utiliser ce nouvel avion. Il s'agit en fait d'un DC-8 modifié qui sert temporairement à transporter des passagers mais qui, éventuellement, sera utilisé comme avion-cargo. Le président de la compagnie, M. McGregor, en est satisfait: « Depuis leur inclusion à la flotte d'Air-Canada, les DC-8F ont accompli un total de 7 384 heures de vol sans accident. »

Pour le capitaine, ce vol Montréal-Ottawa, d'une durée de quarante minutes, est une simple question de routine. Âgé de 47 ans, il compte à son actif 17 000 heures de vol. Il a piloté des bombardiers pour la RCAF de 1940 à 1944 et s'en est toujours tiré indemne. Depuis la fin de la guerre, il travaille pour Air Canada.

6h20: 8 personnes à bord d'une limousine constatent qu'elles ont raté leur avion. Des pluies diluviennes accompagnées de vents violents ont bloqué la circulation à Montréal. Dix-sept autres porteurs de billets se retrouvent dans la même situation et se voient obligés d'attendre l'envolée suivante.

6h28: la tour de contrôle de l'aéroport de Dorval donne au capitaine l'autorisation de décoller. Patricia Creighton, après avoir demandé aux 111 passagers d'attacher leur ceinture, se dirige vers son banc. Elle ne devait pas participer à ce vol, mais on lui a demandé, à la toute dernière minute, de remplacer une collègue malade.

Une légère pluie tombe sur la ville; des vents du nord-est soufflent à

Au départ de Toronto, en juillet 1957, des passagers des MCA embarquent, joyeux, dans l'avion qui les mènera à leur ultime destination, un mois plus tard.

une vitesse de 19 kms/heure; le brouillard réduit la visibilité à 6 000 mètres.

6h30: l'avion vole à 900 mètres d'altitude. Le pilote fait son rapport à la tour de contrôle. On lui permet d'amorcer un virage en direction de Saint-Eustache et on lui rappelle qu'il doit communiquer de nouveau à 2 000 mètres.

6h31: les radars perdent l'appareil de vue mais, sur le coup, personne ne s'en inquiète.

6h33: le sismographe du Collège Jean de Brébeuf enregistre une légère secousse que les chercheurs, comme à l'habitude, tenteront d'interpréter quelques jours plus tard.

«La pire tragédie aérienne de l'histoire du Canada», titre *la Presse* du 30 novembre. La même manchette revient dans la plupart des journaux du monde. C'est la cinquième plus grande catastrophe aérienne de tous les temps: 7 membres d'équipage et 111 passagers y ont perdu la vie. Sans la moindre cause apparente.

Un témoin oculaire, Alain Berthiaume, décrit ainsi l'accident: «Un long sifflement a traversé le ciel, suivi d'une violente explosion qui a fortement secoué le sol aux alentours. Puis, tout à coup, une boule de feu a illuminé le ciel. Les flammes atteignaient une hauteur de 15 mètres et s'étendaient sur une longueur de plus de 30 mètres.»

Dans un hangar, on a réuni les pièces d'un puzzle géant qui ne livrera jamais son secret, malgré tous les efforts des ingénieurs.

Deux kilomètres à la ronde, toutes les maisons subissent une violente secousse. Des vitres volent en éclats. Une femme se jette à terre dans sa cuisine. Elle a entendu dire que c'est la seule chose à faire en cas d'attaque nucléaire. Après tout, Kennedy a été assassiné sept jours plus tôt... Tout est possible!

Quelques secondes plus tard, une foule se précipite sur les lieux de l'accident. De curieuse, elle devient rapidement charognarde. On fouille dans la boue pour trouver argent, bijoux, pièces de l'avion. Le premier arrivé, Noël Aubertin, un policier de Sainte-Thérèse, décrit ainsi la situation: « J'ai vu une personne ramasser un portefeuille et le mettre dans sa poche. J'ai essayé de l'attraper mais elle a réussi à m'échapper en s'enfuyant dans le bois. Le chef de police et moi-même avons dû tirer en l'air afin de faire reculer la foule. » Ce n'est que deux ou trois heures plus tard que les policiers seront en nombre suffisant pour repousser les maraudeurs.

Éparpillés sur des centaines de mètres, on retrouve des débris de l'avion et des passagers.

337

La part du feu.

Sur les lieux de l'accident, c'est le chaos. L'avion a creusé un cratère d'une quinzaine de mètres et s'est littéralement pulvérisé. On en retrouvera des débris jusqu'à 1 200 mètres alentour. Les corps humains ont été déchiquetés, les morceaux éparpillés jonchent le sol un peu partout. Des vêtements en charpie, des lambeaux de chair humaine, pendent aux branches des arbres. « Horrible, épouvantable, incroyable, écrit le journaliste du *Montréal-Matin.* Un policier a dû me dire: *Attention, tu vas marcher sur un bras* ».

Déjà, le 6 novembre, vingt-trois jours plus tôt, un autre DC-8F de la compagnie canadienne avait raté son décollage à l'aéroport de Londres. Les 97 passagers et les membres de l'équipage avaient vu la mort de près. On n'a pas oublié cet incident, mais McGregor est formel: « L'avion qui s'est abattu vendredi avait quitté la piste 4 minutes plus tôt, tandis que l'avion du même type qui s'est écrasé dans un champ de choux à Londres n'avait pas réussi à s'arracher du sol. Il n'y a aucune similitude entre les deux accidents. »

On commence à parler de la possibilité d'une explosion en plein vol. Les indices s'accumulent. Une hypothèse voudrait qu'une forte pression ait provoqué l'éclatement d'une section de

Dernier hommage.

l'appareil, celle où se trouvent les passagers de première classe. Comme la soute aux bagages se situe sous cette section, on peut penser qu'une bombe s'y trouvait. Mais il faut vite rejeter cette interprétation, car tous les témoignages concordent au moins sur un point: la seule explosion qui se soit produite a eu lieu au moment de l'impact. Il faudra donc chercher ailleurs l'origine de ce qui, maintenant, apparaît clairement comme un accident.

On comprend rapidement que les causes seront difficiles à déterminer. L'avion a été réduit en miettes. Aucun corps entier n'a pu être retrouvé. Dans un premier temps, 150 chercheurs quadrillent la région pour tenter de récupérer le plus de pièces possibles. La Sûreté du Québec demande à la population de Sainte-Thérèse de rapporter tous les « souvenirs » et s'engage à ne pas entreprendre de poursuites judiciaires. On récupère ainsi une grande quantité de débris car en fait tous ceux qui étaient venus sur les lieux le soir-même avaient emporté leur « morceau d'avion ». À la pluie succède une vague de froid et une première tempête de neige qui provoque l'interruption temporaire des recherches. On en profite pour installer une ligne électrique et pour construire une route d'accès vers ce qui redeviendra rapidement un marécage. Il faut pomper l'eau du cratère vingt-quatre heures par jour; il faut creuser une tranchée de 9 mètres tout autour et, ensuite, examiner chaque coin du sol, recueillir les pièces et expédier vers une morgue temporaire tous les morceaux de cadavre. Comme les curieux affluent de partout et nuisent à ces travaux, on décide de fermer la route 11 et les sorties de l'autoroute des Laurentides. Avant de pouvoir regagner leur domicile, les gens de la région sont soumis à un rigoureux contrôle d'identité. Aucun visiteur n'est admis.

Le 18 décembre, Air Canada convoque les journalistes à une conférence de presse et leur explique comment les experts procéderont pour tenter de déterminer la cause de l'accident. Les pièces ont d'abord été nettoyées et numérotées. On a ensuite noté à quel endroit chacune d'entre elles avait été découverte. Puis, dans un hangar, on a reconstitué le squelette de l'avion. 48 tonnes de débris: il n'en manque que quatorze. Six comités d'experts vont maintenant se pencher sur les structures de l'avion, ses systèmes hydrauliques ou électriques, ses réacteurs, les mouvements effectués ce jour-là, les facteurs humains et l'histoire de l'appareil lui-même. En procédant ainsi, on espère trouver assez rapidement une explication à la catastrophe.

La plupart des passagers qui avaient pris place à bord du vol 831 venaient de Toronto ou encore des environs de la ville reine. S'y

Très vite, l'eau emplit le cratère creusé par la chute du DC8F, entravant les recherches.

retrouvaient aussi quelques québécois, dont deux francophones, monsieur et madame Albert Roy, monsieur Roy étant une figure très connue des milieux nationalistes.

L'inspecteur Gérard Houle, de la Police Provinciale, affirmait au début des recherches: « Nous pouvons nous tromper, mais nous croyons qu'à la fin nous identifierons la majorité des victimes. »

Il faut bien se rendre à l'évidence: aucun cadavre n'est complet. On a pu procéder à certaines identifications mais, dans tous les cas, uniquement sur des parties de corps. La société Air Canada suggère donc aux familles de procéder à des funérailles communes, et d'ensevelir tous les disparus ensemble, dans un terrain adjacent au cimetière catholique de Sainte-Thérèse-de-Blainville. La société transportera à ses frais tous les parents désireux d'assister à la cérémonie. Cette solution est acceptée par tous.

Le 20 décembre, 200 personnes assistent à l'inhumation des restes. Œcuménisme avant le temps, prêtre catholique, pasteurs anglican, luthérien, presbytérien... s'unissent pour rendre un dernier hommage aux victimes du terrible accident. Le train spécial repart pour Montréal dans la pluie glaciale et la grisaille. Le terrain deviendra un prolongement du cimetière, et la paroisse veillera à son entretien à perpétuité. Enfin, un monument sera érigé sur le lieu exact de la tragédie.

Treize mois plus tard, en décembre 1964, on dévoile les conclusions des experts. Elles sont minces. On a pu éliminer la plupart des causes possibles dans un tel cas, mais on n'a pas réussi à identifier la « cause ». Aucune anomalie n'a été relevée dans les moteurs. Le pilote et le co-pilote ont été reconnus compétents physiquement et mentalement. Il n'y a eu qu'une seule explosion, et c'est au moment de l'impact. Environ un tiers, seulement, des passagers portaient à ce moment-là leur ceinture de sécurité, ce qui tendrait à prouver que le vol se déroulait dans des conditions normales. Il n'y a eu ni bris causé par la turbulence, ni collision avec un objet quelconque, ni explosion ou feu à bord de l'avion. Le système de dégivrage fonctionnait normalement, de même que les systèmes hydrauliques et électriques. Bref, on ne peut conclure qu'une chose: l'avion était en bon état de marche au moment de l'accident.

On ne note qu'une anomalie mais, celle-là, inexplicable. Les stabilisateurs horizontaux étaient en position de descente alors qu'on aurait dû les retrouver dans le sens contraire puisque l'avion grimpait à ce moment-là. Si c'est une erreur de pilotage, nul ne se l'explique. L'avion a percuté le sol presqu'à la verticale à une vitesse de 550 milles à l'heure. Une fraction de seconde pour les 111 passagers et les 7 membres de l'équipage.

À chaque pas les chercheurs font de macabres découvertes parmi les débris de l'appareil.

Six ans plus tôt, le dimanche 11 août 1957...

Il est 15 heures à l'aéroport de Malton, près de Toronto. Au tableau des arrivées on affiche un retard du DC-4 des Maritime Central Airways, en provenance de Londres. À son bord, 73 passagers, des britanniques naturalisés Canadiens après la guerre, membres de l'Imperial Veterans Association rentrent d'un voyage dans leur pays d'origine, accompagnés de leurs familles. Quelques minutes plus tard, les parents et amis qui se font une joie de les retrouver sont convoqués dans la salle d'immigration. Ted Mullins, porte-parole de la compagnie, leur annonce l'inacceptable vérité: « L'avion s'est écrasé à 29 km au sud-ouest de Québec à 14h15 précisément. Il ne reste aucun survivant. »
Une fillette sanglote « Non, ils ne peuvent pas être morts, pas mon papa et ma maman! »
S'accrochant à un dernier espoir, des gens tentent de se saisir de la liste des passagers, d'autres pleurent, crient, certains restent impassibles.
Personne ne veut y croire.

Pourtant, à Issoudun, une véritable vision d'apocalypse balaye tous les doutes. Comme à Sainte-Thérèse, et comme chaque fois qu'un avion s'écrase au sol, le spectacle dépasse en horreur l'imagination, aussi morbide fût-elle. François Dussault, photo-

342

graphe de Radio-Canada, rapporte: « L'avion semble avoir été détruit par une violente explosion. Des 73 passagers et 6 membres de l'équipage, je n'ai rien pu trouver pendant tout le temps que je suis resté dans le champ, si ce n'est l'avant-bras gauche d'une femme... » Que s'est-il passé exactement? Les témoignages se contredisent.

Le chanoine Alexandre Deblois affirme que l'avion volait très bas en faisant beaucoup de bruit et qu'il l'a vu « s'enfoncer dans les nuages noirs », alors que d'autres déclarent que ses moteurs étaient arrêtés. Un expert déclare alors qu'il y a peut-être eu une erreur dans le changement des réservoirs, ou tout simplement un oubli. Dans ce cas, un DC-4 volant à 2400 m s'écrase en 30 à 35 secondes!

Edward Blain, gérant des Maritime Central Airways, part en guerre contre les hypothèses gratuites:

— À 14 h 07, la tour de contrôle a reçu un message du pilote: « rien à signaler ». L'équipage n'avait donc aucune raison de puiser dans les réservoirs d'urgence là où il était; et l'orage au sud-

Mmes Aurèle Benoit et Édouard Leblanc, soutenues par leurs époux, reviennent du lieu de la catastrophe où leur sœur, Mme David Laplante, a trouvé la mort.

ouest de la ville de Québec n'a apparemment été signalé par les services météorologiques que le dimanche soir...

L'avion a-t-il été frappé par la foudre?

Peut-on incriminer le pilote, Norman Ramsay? En 1954, il avait été suspendu après l'écrasement d'un Super-Constellation d'Air-Canada qu'il pilotait. Une commission d'enquête avait estimé qu'il avait manqué d'habileté. Ses collègues et des députés ontariens avaient alors pris sa défense et, après un nouvel examen du Ministère des Transports, il avait finalement récupéré son permis en août 1955, date à laquelle il avait démissionné d'Air Canada pour entrer au service des MCA. Cette compagnie était extrêmement satisfaite de ses services et avait toute confiance en lui. L'Association des Pilotes d'Air Canada n'hésite pas à dire que c'était « un excellent pilote ».

Le ministre des transports, G. Hees, ordonne l'ouverture d'une enquête. Pourtant, on ne saura jamais ce qui s'est vraiment passé.

Sur les lieux de la tragédie, il est difficile de progresser. Les hommes s'enfoncent jusqu'au genou dans la boue de ces terrains marécageux, les machines s'enlisent. Les restes humains, tout comme les débris de l'appareil, sont submergés. Le lieutenant Martin Healy, chargé de retrouver les corps, déclare qu'il sera impossible d'identifier qui que ce soit. Tous les lambeaux de chair

Ils étaient pourtant si près du but!

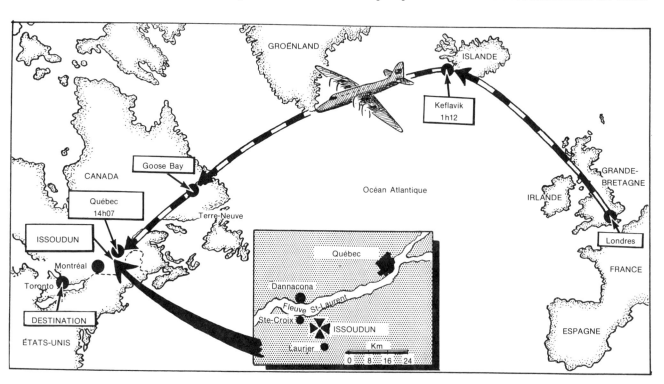

344

Unis à jamais, les restes déchiquetés des 79 victimes reposent désormais près du lieu de l'accident à Issoudum.

seront rassemblés dans vingt coffrets de six pieds de long sur trois de large, et enterrés dans une fosse commune, près d'un bois du quatrième rang d'Issoudun.

Chaussé de hautes bottes de caoutchouc, l'archevêque de Québec, son Excellence Maurice Roy, vient prier pour les victimes au bord du cratère creusé par l'avion.

Les rapaces ne respectent rien, surtout pas la mort... La Sûreté Provinciale garde la principale voie d'accès. Qu'à cela ne tienne: curieux et pillards trouvent d'autres chemins pour accéder à la clairière où la catastrophe s'est produite. Un cultivateur organise même des « circuits touristiques » à bord d'une remorque tirée par son tracteur, pour le prix modique de $1 par personne!

Un DC-3 de Québecair s'écrase au nord de Sept-Îles.

« L'avion lançait des fusées. Un des moteurs était en feu... Il a décrit trois cercles avant de disparaître... »

Il est près de minuit, le 16 janvier 1956. En quelques minutes, les habitants de Oreway Lake (une gare sur la ligne de chemin de fer de la Côte nord et du Labrador, à 299 km au Nord de Sept-Îles) se retrouvent près de l'épave du DC-3 de Québecair. Le pilote a tenté d'atterrir en catastrophe sur le lac Achouanipi, mais son appareil a heurté des arbres... Par miracle, il n'y aura que trois victimes: Gérard Bernatchez, 23 ans, fils d'un épicier de Sept-Îles, le copilote, Daniel Sicard et le pilote, Gérard Bélanger. L'hôtesse, Denise Jobidon est gravement blessée, de même qu'un Indien originaire de Sept-Îles. Les treize autres passagers s'en tirent avec de légères contusions... et une peur colossale! Selon la compagnie, le givrage des ailes serait à l'origine de l'accident.

LE THÉÂTRE PLEURE FRED BARRY

« Extrêmement sensible, Fred Barry a souvent ironisé pour ne pas pleurer. Transporté à la scène, ce trait de caractère en a fait un acteur complet pouvant être aussi émouvant que comique. » (Marthe Thiery).

« J'avais quinze ans quand, pour la première fois, je vis Fred Barry en scène. Il est devenu dès ce soir-là, mon *idole*. » (Gratien Gélinas).

« Fred Barry a présidé à mes débuts professionnels dans la troupe de Gratien Gélinas. Ses conseils paternels et autorisés m'ont toujours été d'un précieux secours. Il irradiait sans cesse. Et quel bon vivant, plus drôle encore dans l'intimité que sur scène. C'était un vrai camarade, un authentique phare de théâtre. De ceux qui émeuvent... de ceux qu'on n'oublie jamais.« (Juliette Huot).

« Quand j'ai fait mes débuts à la radio, il y a 30 ans, j'ai eu le privilège de réaliser plusieurs émissions où Fred Barry était en vedette et je lui serai toujours reconnaissant d'avoir si gracieusement accepté les directives du blanc-bec que j'étais... » (Paul L'Anglais).

« Merci Monsieur Barry! Nous, comédiens, nous allons essayer de tirer de votre jeu le sens de l'honneur, de l'intégrité et de la gentillesse et l'amour que vous mettiez dans tout ce que vous faisiez, dans tout ce que vous êtes... » (Guy Mauffette).

« Il a oeuvré toute sa vie pour l'avenir du théâtre canadien. Tout comme les artistes, le public lui doit également un souvenir respectueux et reconnaissant. Il était l'incarnation vivante de notre théâtre et, même s'il est aujourd'hui disparu, sa secrète

C'est la dernière apparition en public de Fred Barry. Ce jour-là s'ouvrait la Comédie Canadienne avec l'Alouette d'Anouilh.

présence demeurera toujours parmi nous. Il est l'artiste canadien-français que j'ai le plus aimé. » (Pierre Dagenais).

Tous aussi éloquents que représentatifs, les témoignages de ce genre fusèrent de toutes parts lorsque fut rendu public le décès de Fred Barry, celui qu'on avait surnommé à juste titre « le Père du Théâtre canadien d'expression française », le 17 août 1964. Doyen des artistes du Québec, le disparu était alors âgé de 77 ans.

Une scène des « Fridolinades », Juliette Béliveau en bigoudis, Fred Barry et Juliette Huot réflètent tout l'ennui d'un « Dimanche après-midi ».

Fils d'un modeste hôtelier du centre-ville (Rachel et Saint-Laurent), Fédéric Barry vit le jour le 28 octobre 1887, rejeton d'une famille qui se composera de quatre filles et de trois autres garçons. Son père était Irlandais de lointaine souche tandis que sa mère, Marie-Louise Landry, était, elle, une canadienne « pure-laine ». Enfant de très bonne nature, il se distinguait toutefois par ses allures espiègles car il aimait jouer des tours. Plus tard, ses camarades de théâtre feront amicalement les frais de ce côté badin de son caractère.

Fred Barry, garçonnet, était déjà ce qu'on appelle un acteur d'étoffe, un comédien né. C'est sans nul doute la raison pour laquelle il fut remarqué par ses éducateurs qui, un jour, lui confièrent un rôle dans une séance de collège. Et c'est comme cela qu'il fait ses grands débuts sur les planches, le 11 avril 1898, lorsqu'il campe le personnage de Don José (rôle d'un garçon de 11 ans) dans la pièce de l'espagnol Alvarez, pièce qu'il joue à la salle de la Garde Napoléon (Laurier et Hutchison), pour le compte du Cercle Molière.

348

Nos Artistes

FRED BARRY
"LES TROIS MOUSQUETAIRES"

Ma Femme
Vote

CHANSONNETTE COMIQUE D'ACTUALITE

Paroles de

JEAN NEL

Musique de

JEANNE HELL

Encore un succès du chanteur populaire

ALEX. DESMARTEAUX

Paroles et Musique

10 cents

EDITION DES GRANDS SUCCÈS POPULAIRES

Lise Pelletier, Monique Miller, Fred Barry et Amanda Alarie réunis pour la première fois au cinéma en 1952 dans Tit-Coq.

Au début du présent siècle, alors que la radio et la télévision n'existaient pas encore, alors même que Conservatoire et écoles d'Art Dramatique brillaient encore par leur absence, les jeunes qui envisageaient de faire une carrière théâtrale n'avaient à vrai dire qu'une seule alternative: les Cercles Dramatiques. Pour y adhérer, il fallait avoir le feu sacré. Tout simplement! Montréal en comptait une vingtaine —Cercle Molière, Cercle Saint-Henri, Cercle Lafontaine, etc...— tous relevant de la responsabilité d'une paroisse ou d'un quartier. On y montait des mélodrames, des légendes, des pièces d'inspiration religieuse, patriotique ou autre. On y apprenait surtout son métier d'acteur. Les plus doués se retrouvèrent tous plus tard sur nos scènes professionnelles, dont Fred Barry en premier lieu.

« Le plus beau jour de ma vie fut celui où je suis entré dans un grand théâtre pour la première fois », affirmera-t-il tout au cours de son existence. Quelques années plus tard, il devait se retrouver lui-même sur cette même scène du « Canadien »; car du Cercle Molière, tremplin de ses débuts, il passa au Cercle Saint-Henri et au Cercle National, entre autres, où il fit une merveilleuse composition dans « Le Drapeau de Carillon », de L.O. David. En s'affirmant de la sorte, il franchissait le cap de l'amateurisme pour prendre place parmi les grands de la scène: Filion, Hamel, Daoust, Palmieri...

Dès lors sa carrière va prendre un essor considérable. Il est jeune, élégant, viril, talentueux et doué d'une aisance et d'un naturel en scène qui en font déjà un acteur à part, un acteur présent, capable de remplir tous les rôles.

C'est au théâtre, naturellement, qu'il se liera d'amitié avec plusieurs camarades, comédiens remplis d'espoir comme lui, dont Antoine Godeau, Pierre Durand et Albert Duquesne. Cette rencontre professionnelle sera très conséquente et pour Fred Barry et pour notre théâtre d'expression québécoise et française, puisqu'elle permettra la fondation, en 1930, de la Troupe Barry-Duquesne.

Formée par Fred Barry, Albert Duquesne, Bella Ouellette, Marthe Thiery, Antoine Godeau, Pierre Durand, Mimi d'Estée, Henri Deyglun, Jeanne Demons et Gaston Dauriac, cette compagnie se réfugia au Chanteclerc de la rue Saint-Denis, petite salle fort accessible devenue par la suite et Le Stella et Le Rideau Vert. Barry-Duquesne connaîtront quatre brillantes saisons consécutives et c'est la grande Antoinette, de retour d'Europe, qui prit sa succession en 1934. Cette année-là marquera une date fort importante de la carrière de Fred Barry, soit son affiliation avec le prestigieux cinéaste français Julien Duvivier.

Accompagné de son équipe de cinéma et de la distribution de son film —Madeleine Renaud, Suzanne Despréz, Alexandre Rignault, Jean-Pierre Aumont, Jean Gabin— Duvivier mettait pied sur le sol québécois afin de tourner ici, principalement au Lac Saint-Jean, son célèbre film « Maria Chapdelaine » du romancier français Louis Hémon. Et il engagea Fred Barry et comme conseiller et comme acteur, rôle du typique Nazaire Larouche. Le tournage des extérieurs québécois étant terminé, Barry du se rendre en France pour achever le film. Il n'en était pas à sa première visite en Europe puisqu'en 1925, il y avait joué une pièce de Paul Gury, notamment à Paris et à Bruxelles. Déjà le cinéma français par l'entremise de

Fred Barry se repose pendant le tournage de Maria Chapdelaine en 1934.

Avec Gratien Gélinas.

Duvivier qui l'admirait, on ne peut mieux et on ne peut plus, lui offrait un pont d'or. Mais Fred Barry n'était pas plus intéressé que cela. Ainsi, un matin de tournage, il arrive en retard au studio. Duvivier de piquer une colère noire en des termes très parisiens que Barry ne comprend pas. Alors avec son accent bien particulier, pas du tout impressionné, il réplique au metteur en scène: « Toé, mon maudit français, si tu veux pas que je te sacre là avec ton crisse de film... » Eberlué, Julien Duvivier trouva la réplique tellement inhabituellement drôle qu'il ne put réprimer un besoin de rire à s'en tenir les côtes.

Fred Barry revint au Québec, sa vraie patrie, refusant tous les beaux contrats des studios de cinéma de France et de... Navarre. Ici, chez nous, chez lui, il était le maître, le roi... Super vedette de la scène et de la radio, il se sentait comblé et n'en demandait pas plus. Il était le comédien, l'acteur; le plus vrai de tous les comédiens et de tous les acteurs de notre colonie artistique.

Et puis, à la fin des années 30, à la veille même de la deuxième guerre mondiale, survint le petit gars à la fronde et au chandail troué répondant au nom de Fridolin. Fridolin, c'était Gratien Gélinas, le plus grand des admirateurs de Fred Barry. Il lui écrira ses tout derniers plus beaux rôles dès 1938, lors de la première série de ses « Fridolinades » et de ses « Fridolinons ». Ces revues annuelles du Monument National qui firent courir le Tout-Québec marquèrent elles aussi une étape fort importante dans l'histoire de notre monde du spectacle. Gratien Gélinas donna alors à Fred Barry des partenaires de choix, dont Juliette Béliveau, Amanda Alarie, Fanny Tremblay, Olivette Thibault et Juliette Huot dont ce furent les notoires débuts. De ses revues, Gélinas tira sa pièce « Ti-Coq ». Et c'est Fred Barry qui personnifia le Père Désilets de Saint-Anicet, tant à la scène qu'au grand écran, quand ce petit chef-d'oeuvre fut tourné pour le cinéma en 1952.

Ce fut le chant du cygne de Fred Barry!

Retenu chez lui dans son domicile de la rue Saint-André qu'il aimait tant, veuf de sa compagne chérie Bella Ouellette, déjà handicapé par la paralysie, on ne le vit plus que rarement, soit pour une fête organisée en son honneur, soit lors de l'ouverture de la Comédie Canadienne quelques mois avant sa disparition.

Gratien Gélinas, Fred Barry et Huguette Oligny dans la version théâtrale de « Tit-Coq ».

LES LIBÉRAUX MALADES DE LA PISTE

La lettre que Roch Deslauriers adresse au Premier ministre du Québec, Jean Lesage, quelques jours après les élections triomphales du 22 juin 1960, dit en substance: *Nous, dans la famille Deslauriers, nous sommes libéraux de père en fils.* Et à ce titre, ce chiropraticien de la bonne ville de Saint-Jean-d'Iberville croit avoir droit à l'octroi d'un permis pour exploiter une piste de course. Pendant les seize ans que Maurice Duplessis a été au pouvoir, précise Deslauriers dans sa lettre, de tels permis n'ont jamais été accordés qu'à des partisans de *l'Union Nationale*. Il faut que ça change!

Amateur de chevaux de courses, Deslauriers en possède deux. Il joue à Blue Bonnets et à la piste Richelieu. Il rêve donc de bâtir une piste de course où il serait derrière le guichet du Pari mutuel au lieu d'être devant.

Mais, le gouvernement Lesage tarde à dire oui aux rêveries de Deslauriers. Celui-ci demande donc un appui à son député Yvon Dupuis.

Jeune tribun politique, Yvon Dupuis est descendu dans l'arène à l'âge de 20 ans. Il a même réussi à se faire élire député à l'Assemblée législative en 1952 sous la bannière libérale dans le comté de Maisonneuve à Montréal. Et, tel le moucheron de la fable, il tient tête au vieux lion Duplessis. Il faut toute la force de la machine électorale de *l'Union Nationale* pour faire mordre la poussière au jeune Yvon aux élections suivantes, en 1956.

Qu'à cela ne tienne! Des élections fédérales ont lieu en 1958. Le jeune et ardent Dupuis se présente dans le comté de Saint-Jean-

Sous l'œil très légèrement amusé de Pearson, Yvon Dupuis, alors ministre du parti libéral, fait une imitation de Réal Caouette, pendant la campagne électorale de 1963. Quelques années plus tard il rejoindra les rangs créditistes.

d'Iberville et y fait triompher les couleurs libérales malgré la vague qui, cette année-là, balaye tout le Canada pour porter au pouvoir les conservateurs et cet autre lion de la politique, John Diefenbaker.

Lorsque les libéraux reviennent en force à Ottawa en 1963, le premier ministre Lester B. Pearson nomme Yvon Dupuis ministre d'État, faisant de lui un « Honorable membre du Conseil privé de sa majesté ». Les libéraux étant alors au pouvoir à Ottawa et à Québec, Deslauriers, l'amateur de pistes de course, demande donc à son député d'appuyer sa demande. Ce que fait Yvon Dupuis comme tout bon député faisait à cette époque.

Or, un beau soir d'octobre 1964, le journal *La Presse* publie un article qui fait l'effet du pavé dans la mare tranquille de la politique canadienne: un ministre du Cabinet fédéral aurait accepté un pot-de-vin de $10 000!

On s'interroge dans les deux capitales. Le ministre fédéral de la Justice ordonne une enquête discrète et en confie la charge à un inspecteur particulièrement « diplomate », M. Maurice Nadon (qui deviendra après l'affaire Dupuis l'escorte du général de Gaulle en 1967 puis sera nommé Commissaire général de la Police montée).

La bombe éclate en 1965. L'Hon. Yvon Dupuis est accusé d'avoir reçu $10 000 de Roch Deslauriers pour favoriser l'obtention de son fameux permis pour la piste de chevaux de course.

Dupuis comparaît donc au Palais de justice de Saint-Jean. Le ministère Public désigne comme procureur *ad hoc* pour instruire l'enquête préliminaire deux éminents avocats —bien connus des milieux libéraux— Me Jean Bienvenue et Me Jacques Ducros (nommés par la suite juges de la Cour supérieure).

Deslauriers témoigne que le 6 mai 1961 il a reçu un appel téléphonique de Dupuis, alors député à Ottawa, demandant qu'on lui apporte $10 000; il ferait parvenir cette somme à Québec et ce geste mettrait la goutte d'huile nécessaire dans les rouages administratifs du ministère de la Justice québécois, alors détenu par le ministre Paul Earl.

À l'enquête, Deslauriers prouve qu'il a emprunté $2 000 à sa banque, $2 400 à sa belle-mère et qu'il y a ajouté $600 de sa poche. Restait à trouver $5 000. Un cultivateur en retraite, M. Raoul Gobeil, témoigne qu'il a prêté la deuxième partie de la somme. Le tout, soigneusement enfermé dans une grande enveloppe brune,

*Roch Deslauriers, un lourd témoin
à charge, accuse « l'honorable »
Yvon Dupuis avec de troublantes
précisions.*

aurait été remis à Yvon Dupuis à Ottawa. Deslauriers dit qu'il a accompagné son député à l'hôtel *Château Laurier*, mais que Dupuis serait entré seul dans l'hôtel avec l'enveloppe.

À sa sortie, il aurait dit avoir remis l'enveloppe au messager du ministère de la Justice venu de Québec.

Il n'en faut pas plus pour que le bon juge Reignier, qui préside l'enquête, ordonne qu'Yvon Dupuis soit cité au procès sous l'accusation de concussion.

Mais où est passée cette fameuse enveloppe? On ne l'a jamais retrouvée. Le ministre de 1961 est décédé. Son successeur en place en 1965, Eric Kierans, fait entreprendre une enquête dans ses services. Impossible de retrouver trace des $10 000!

Les journaux font des gorges chaudes de cette enquête tenue à Saint-Jean. Les partisans libéraux sont en émoi. On se divise en « pro-Dupuis » et «contre-Dupuis ». Parmi les *pros*, un homme particulièrement actif dans le parti témoigne en faveur de Dupuis:

c'est Réal Rousseau qui s'affirme comme le « penseur du parti libéral ». Il déplore ce lavage de linge sale en public devant les tribunaux.

Constatant tout ce désarroi, le chroniqueur judiciaire de *Montréal-Matin*, Roger Guil, intitule son compte-rendu: *Les libéraux malades de la piste!* (... titre qui fit florès chez ceux qui avaient encore des lettres).

Tout dans les mains, rien dans les poches.

Mais un problème se pose à la Justice: comment trouver dans la petite ville de Saint-Jean un jury impartial? Comment s'assurer que le tirage au sort de douze jurés ne désigne pas un ou plusieurs partisans du député du district? Le ministère Public obtient un changement de venue et le procès de l'ancien ministre débute le lundi, 14 mars 1966, à Sherbrooke.

Ce matin-là, le juge Evender Veilleux préside. Me Jean Bienvenue est toujours procureur de la Couronne. Quant à l'accusé Yvon Dupuis, qui n'est pas très argenté à cette époque, il a perdu *tous* ses défenseurs.

Alors, une surprise: c'est l'Hon. Paul Martineau qui se présente pour la défense. Me Martineau qui a été ministre des Mines dans le cabinet conservateur de Diefenbaker, a accepté au dernier moment de défendre son ancien adversaire politique. L'éminent avocat de Hull prouve une fois de plus qu'il est un gentilhomme...

Le procès dure six semaines et les débats font la manchette de tous les journaux d'un océan à l'autre.

Outre la preuve déjà produite à l'enquête préliminaire, Me Bienvenue annonce que les limiers de la GRC savent, preuves en main, « comment Dupuis a dépensé les $10 000 ». Cette somme, selon la Couronne, aurait servi à éponger une dette que le magasin de Dupuis, magasin de disques à Saint-Jean, avait contractée avec une maison d'importation de microsillons éducatifs de France. La traite de banque que cette compagnie française réclamait à cor et à cri avait en effet été réglée en mai 1961. De là à déduire qu'elle avait été acquittée avec l'argent de Deslauriers, il n'y avait que la marge savante d'une argumentation de Me Bienvenue.

Cette déduction ne tient cependant pas lorsque Me Martineau cite comme témoin de la défense un homme d'affaires de Montréal, Salis Sylver, qui prétend avoir avancé la somme au magasin Dupuis.

À la péroraison de ce long procès, le procureur Bienvenue s'enflamme dans une envolée oratoire qui doit emporter le verdict des jurés. Il va même jusqu'à dire: « Pensez-vous que cet homme, Yvon Dupuis, se trouverait ici, entre deux constables, s'il n'était pas coupable? »

La grande salle des Assises de Sherbrooke est pleine à craquer. À l'annonce du verdict de culpabilité, Mme Roberte Dupuis, qui a suivi son mari aussi bien dans la gloire que dans l'adversité, s'écroule, évanouie.

Le juge Veilleux impose une amende de $5 000. Mais elle ne sera jamais payée, car la Cour d'appel du Québec renverse le verdict de culpabilité et ordonne un nouveau procès. Cette fois, Dupuis choisit d'être jugé par un juge seul et c'est le juge Marc-André Blain, à Montréal, qui, après avoir sondé la preuve, prononce l'acquittement définitif.

Depuis ces événements, Yvon Dupuis a ralenti ses ardeurs politiques. Il ne s'est laissé tenter qu'une seule fois... lorsque le chef créditiste Réal Caouette lui demanda de prendre la direction du parti Créditiste provincial. Mais la défaite cuisante de ce parti aux élections qui suivirent ramena le politicien dans le rang des citoyens ordinaires...

L'ENVOL DES
TROIS COLOMBES

8 novembre 1965. Un bruit court le pays: trois colombes, dit-on, seraient venues se percher à Ottawa. Au Parlement, plus précisément. Trois jeunes colombes fougueuses, un peu étonnées de se retrouver sur un pigeonnier relativement chancelant: en effet, ce brave Leaster B. Pearson, avec 131 sièges libéraux se voit réduit au gouvernement minoritaire. À tout hasard, il inaugure son nouveau règne en parlant d'unité nationale. Une prémonition?

Mais au Québec et ailleurs, la sensation du moment, c'est l'élection dans la députation québécoise de ces fameuses trois colombes: Jean Marchand, Gérard Pelletier et Pierre Elliott Trudeau. Les enfants terribles de *Cité Libre* et de la grève d'Asbestos de 1949 sont les vedettes du non-conformisme politique au Québec. Hélas, dans une révolution tranquille québécoise sérieusement en perte de vitesse, le temps est au recyclage!

Jean Marchand, mais surtout Gérard Pelletier et Pierre Elliott Trudeau, ce sont « les joueurs de piano » que Maurice Duplessis vouait aux gémonies. Et pour être bien franc, ils le lui rendaient bien! À part *Le Devoir*, le foyer de l'opposition, vers la fin des années 50, a été la revue *Cité Libre* sous la houlette spirituelle de Pierre Elliott Trudeau: on y retrouvait des gens comme Jacques Hébert, Jean Pellerin, Pierre Vadeboncoeur et même Michel Chartrand à l'occasion. Pendant les premières années du règne de Jean Lesage, on va y retrouver Jacques Godbout, Pierre Vallières, Gérald Godin, voire Jacques Parizeau qui se veulent sympathiques mais critiques au pouvoir québécois en place.

Hélas, l'avenir est limité lorsqu'on n'est plus dans l'opposition! En fait, comme on dit, « la chicane pogne »: la question nationale

*« Ce sont eux que j'ai choisis »,
semble dire la Vierge Marie.*

Tous les anglophones ne voient pas en Trudeau un représentant du « French Power »!

transforme les amis de toujours en ennemis jurés. Une partie s'en va et fonde *Parti-Pris*. Une autre crée *Révolution Nationale* sous la houlette de Pierre Vallières.

Reste donc le champ fédéral: les « libéraux sont tous des caves » (Trudeau, *Cité Libre*, avril 1963), Pearson, c'est « l'abdication de l'esprit » (*Cité Libre*, ouv. cité), il n'en reste pas moins que conseiller de voter NPD au Québec, malgré l'ami Charles Taylor, c'est presque du snobisme. Un jour, la tentation de l'action vous prend. Pourquoi pas le parti libéral? « Pour le changer de l'intérieur », dira Pierre Elliott Trudeau. Après tout, il n'y a que les imbéciles qui ne changent pas d'avis. Or les trois colombes, de l'avis de tous, sont intelligentes. Mais qui sont-elles?

En premier, Jean Marchand. Si quelqu'un ressemble à son image, c'est bien lui. Les cheveux frisés à la diable, les sourcils broussailleux sur un regard perçant, le geste vif dans un grand corps nerveux, la repartie cinglante dont la gouaille populaire laisse sentir son cours classique, ce fort en gueule est un homme

362

d'action. Il s'est lancé en syndicalisme comme on se lance en religion: les coups de matraques, lui, il connaît! Organisateur du C.T.C.C. (Confédération des Travailleurs Chrétiens du Canada), lors de la grève d'Asbestos, il était en première ligne. Pas étonnant qu'il soit devenu plus tard président de la C.S.N.! Sa témérité se trouve aussi dans son langage: ses paroles dépassent souvent sa pensée. Mais il a le respect de tous les travailleurs. Quand tout va bien, ça le dérange: les années héroïques ne sont plus ce qu'elles étaient. Il démissionne! Pourquoi ne pas tenter la bagarre à Ottawa? Après tout, c'est « là où est le pouvoir »: il va donc aller là-bas s'occuper des travailleurs. Et hop! voilà, il devient député.

Gérard Pelletier, lui, c'est le journaliste. Attention: il ne faut surtout pas le traiter d'intellectuel, il a horreur de ça! Même s'il l'est bien malgré lui. Ses idées collent assez bien avec celles de Jean Marchand pour cause de commune origine. Spirituellement, ce chrétien militant est un produit de *Rerum Novarum*, de Léon XIII en même temps que de Marc Sangnier et son équipe du *Sillon*. Ancien secrétaire des Jeunesses Étudiantes Chrétiennes, ses positions ne sont pas tellement prisées par la hiérarchie: elles sentent trop le fagot socialiste. Il est entré dans le journalisme comme dans un mouvement de jeunesse: en militant. Au *Devoir*, il a suivi la grève d'Asbestos de près. De très près même: il a reçu un coup de matraque! Plus tard, il devient rédacteur en chef de *La Presse*, à la suite du départ de Jean-Louis Gagnon, lors d'un schisme dans la famille Du Tremblay. Mais ses éditoriaux sont de la même couleur que ceux qu'il écrit dans *Cité Libre*, et cela ne plaît guère. N'a-t-il pas en outre une fâcheuse tendance à trop écouter les plaintes de ses journalistes? On le met à la porte! C'est oublier que dans ce métier expulsion, c'est presque Légion d'Honneur. On le voit partout: à *Radio-Canada*, et même dans *Le Devoir*, en tant qu'hôte de marque de passage. À force de regarder les grands s'escrimer, il est tenté de foncer dans l'arène. L'occasion a fait le larron...

Enfin, voici Pierre Elliott Trudeau. Preuve évidente que la prédestination existe: ses amis depuis des années l'appellent « le premier ministre »... Grand, mince et charmeur, la bouche moqueuse, la voix qui raille tout en traînant un peu, ce jeune homme de quarante ans est l'image du gentleman play-boy, mêlé de penseur. Il étonne! Il déroute!

Du play-boy, il a la fortune et les belles voitures (Mercédès oblige!), les jolies femmes et le poids des racontars. Ah, quelle santé lui aurait-il fallu pour satisfaire toutes les conquêtes qu'on lui prête... Mais qu'importe, la publicité y trouve son compte.

Britannisme oblige, il a son petit côté aventurier, un peu snob sur les bords: il lance les modes plus qu'il ne les subit. On le verra faire de la moto, partir en Chine Rouge et sous toutes les latitudes dans des conditions rocambolesques (la Chine n'était pas encore à la mode!), faire du karaté, ce qui était assez insolite en son temps. Il est courageux de nature, peut-être parce que la peur vous a quelque chose d'inélégant...

Être premier partout, aussi dans le domaine de l'esprit: c'est un intellectuel fier de l'être! Bardé de diplômes récoltés un peu partout (à Londres comme à Paris), lui aussi a participé à la grève d'Asbestos. Pour le principe.

Doué d'une mémoire d'éléphant, il ne lit pas. Il dévore. Il peut vous citer dans le texte Marx ou saint Augustin, ce qui fait très « baron rouge ». Maniant une logique impeccable et une dialectique à faire rougir Hegel lui-même, il subjugue élèves et auditoires avec d'autant plus de plaisir qu'il sait qu'il a raison et qu'il n'aime pas la contradiction. À preuve son combat homérique pour devenir professeur à l'Université de Montréal: ce disciple de Thoreau — chose rarissime même à l'heure actuelle chez les Canadiens français!— est soupçonné de communisme. Il se battra deux ans pour devenir professeur malgré l'évêché.

Ce tenace trompe son monde par sa désinvolture et son côté play-boy: sa meilleure manière de mentir, c'est encore de dire la vérité. Ainsi qui le croit lorsqu'en mai 1965 il annonce qu'il se porte candidat libéral « pour changer le parti »?

À vrai dire, ce ralliement ne se fit pas sans mal. Là, force nous est de pénétrer les coulisses ténébreuses de la petite histoire, celle qui ne se nourrit hélas que de « on dit » et de « paraît-il »...

La colombe est devenue un aigle.

Prévoyant, sinon sa fin prochaine, du moins la nécessité d'une élection inévitable mais possiblement calamiteuse, M. Leaster B. Pearson avait senti le besoin de renforcer sa députation québécoise, un peu faiblarde sur les bords, par quelques noms prestigieux. Justement, Jean Marchand était disponible: ce leader naturel mettrait du nerf dans la troupe et amènerait le vote ouvrier.

Il y avait aussi Gérard Pelletier, un «opinion leader» qui présentait l'avantage d'être un ami de Jean Marchand. On les contacta par le biais d'un ami commun qui aurait été, selon les uns Guy Favreau, selon les autres Maurice Lamontagne. Allez savoir!

Mais admettre Pierre Elliott Trudeau, c'était une autre paire de manches. Certes l'animal était racé: c'était un cheval de tête que les gens suivaient. De plus, dans la bonne société d'Outremont et de Ville Mont-Royal, on le considérait un peu comme l'enfant terrible et prodige à la fois.

Mais il y a des coups d'épingles qui font aussi mal que des coups de poignards. N'avait-il pas traîné les libéraux dans la boue, en 1963, en les traitant de «caves» et de «suiveux»? N'avait-il pas quasiment traité Pearson de traître lors de l'affaire des Bomarcs à tête nucléaire? Enfin, n'avait-il pas poussé l'outrecuidance, lors des élections du 6 avril 1963 qui débouchèrent sur un gouvernement minoritaire, jusqu'à pousser les gens à voter N.P.D.?

Aussi lorsque les deux compères proposèrent d'embarquer leur chef spirituel, la réception ne fut pas très chaude. Passe encore chez les grands qui ont le pardon facile lorsque leurs intérêts les poussent; mais chez la députation ordinaire, on ne voulait pas en entendre parler!

Mais, paraît-il, la solidarité de la «gang» joua: c'est la vache et le veau, tous les trois ou personne, auraient-ils dit. On prétend qu'il y eut de longues et pénibles négociations durant toute une nuit où le téléphone ne dérougit pas entre Ottawa et Montréal dans un appartement de la rue Sherbrooke avant que l'affaire ne fût décidée...

Ainsi naissent les légendes...

Ajoutons que lors de son congrès de mise en nomination, dans Notre-Dame-de-Grâce, Pierre Elliott Trudeau s'était vu opposer un enfant du comté qu'il battit de justesse: le Docteur Victor Goldbloom. Lequel devint plus tard ministre à Québec.

C'est dans le comté d'Hochelaga où il vient d'être élu que le rédacteur en chef de La Presse, *Gérard Pelletier, fête sa victoire en novembre 1965.*

Le secrétaire d'État Gérard
Pelletier visitant... le pavillon de
la photographie de Terre des
Hommes.

Jean Marchand devint ministre contestataire et contesté du Travail et de la Main d'oeuvre (naturellement) mais surtout des Transports où après une sérieuse empoignade à propos du bilinguisme aérien et quelques peccadilles routières, il sortit en claquant la porte vers le Sénat réputé lénitif. C'était mal le connaître! Avec autant d'ardeur qu'il avait défendu le français dans la commission Laurendeau-Dunton, il se lança dans la défense du fédéralisme en se présentant comme candidat député, par foucade, en novembre 1976, à la surprise de tous, y compris de Robert Bourassa qui était censé être son chef. Il se fit « manger tout rond » par Claude Morin, un des pilliers du P.Q...

Calmé, mais non assagi, l'honorable sénateur continue, çà et là, à faire une déclaration fracassante de temps à autre.

Quant à Gérard Pelletier, il s'aperçut très vite que le pouvoir n'est pas de tout repos. Son côté intellectuel le tortura lors de la crise d'octobre 1970, alors que l'on mettait joyeusement dedans des amis de la veille, et il crut bon d'exprimer ses états d'âme dans un livre. Secrétaire d'État et responsable de *Radio-Canada*, pour lequel il eut quelques faiblesses coupables, il connut les ennuis et les protestations. Ministre des Communications, il se fit étriller de belle manière par Jean-Paul L'Allier (un confrère en libéralisme pourtant!) et participa, bien malgré lui, à la guérilla héroïco-comique du câble: en 1973, la GRC, au nom de son ministère, saisit une antenne dans le bas du fleuve qui avait été posée par la SQ au nom de Québec!

Cet honnête homme qui avait pourfendu le patronage se vit accusé de favoritisme parce que *Radio-Canada* s'installa à neuf dans son comté, alors qu'il était ministre. Or il n'était absolument pour rien dans le choix du site! Dégoûté de la politique voyante, il démissionna pour devenir ambassadeur en France. Poste particulièrement alléchant pour un ami des arts.

Las, depuis sa nomination, il passe son temps dans des conflits et des nuances de protocole (par exemple lors de la visite de René Lévesque à Paris) qui auraient fait pâlir un diplomate bizantin. Alors, il rêve du temps béni où il reviendra à ses secondes amours, le journalisme.

Quant à Pierre Elliott Trudeau, après quelques petites excentricités vestimentaires et de langage, il ne tarda pas à Ottawa, grâce à son charme et sa dialectique bilingue, à subjuguer de nouveau son entourage: après un laps de temps très court, il se jeta dans la bataille constitutionnelle avec entrain, pourfendit en tant que ministre de la Justice Daniel Johnson pour la plus grande gloire du fédéral lors d'une conférence célèbre, et devint tout naturellement le successeur de M. Pearson deux ans après. La colombe était devenue épervier.

De la trudeauphilie par le biais de la trudeaumanie, on entra dans la trudeaucratie. Mais, comme disait Kipling, ceci est une tout autre histoire...

Jean Marchand et P.E. Trudeau mènent gaiement la campagne électorale.

Sur cette photo d'hier -1962- les hommes politiques de demain... De g. à dr.: Jean-Jacques Bertrand, alors député, Union Nationale de Missisquoi (il deviendra Premier Ministre en 1965), le Pr. Frank Scott, l'animateur Pierre de Bellefeuille (élu député en novembre 1976), encore deux futurs Premiers Ministres, René Lévesque, alors Ministre des Richesses Naturelles, et un certain professeur Trudeau, de l'Université de Montréal, aux côtés d'André Laurendeau, rédacteur en chef du Devoir, *qui laissera son nom à une Commission devenue célèbre.*

PHOTOS

OFFICE NATIONAL DU FILM
p. 33, 38, 47, 48, 49, 51, 82.

ARCHIVES « LE PATRIOTE »

PHOTOBEC
p. 310.

POLYDOR
p. 89.

ARCHIVES LA PRESSE
p. 4, 5, 10, 11, 15, 22, 31, 83, 84, 87, 88, 135, 196, 198, 267, 269,
à 273, 275, 280, 307, 309, 311, 316, 317, 320, 322, 323, 325,
327, 360, 361, 362, 365 à 368.

RADIO-CANADA
p. 314, 318, 320.

DESSINS D'ALBÉRIC BOURGEOIS
REPRODUCTION FRANÇOIS RIVARD
p. 76 à 79.

REYNALD ROMPRÉ
p. 313.

ARCHIVES SÉMINAIRE DE SAINT-HYACINTHE
p. 293 à 297.

PAUL TAILLEFER
p. 168, 169.

ARCHIVES THÉÂTRE DE QUAT' SOUS
p. 114 à 119.

ARCHIVES UNIVERSITÉ DE SHERBROOKE
(Petit Lexique)

ARCHIVES VILLE DE QUÉBEC
p. 156.

Le Mémorial du Québec
a été composé en caractères
Times Romain 12 pts au studio
Doutre + Dupras Ltée.
Cet ouvrage a été imprimé sur les presses de
l'Imprimerie Laflamme Ltée (Québec)
sur papier Satincoat 160M de la
Compagnie de Papier Rolland Ltée.
Reliure
Imprimerie Co-opérative Harpell.